CW00693087

LE PETIT DERNIER

Jean-Paul Carminati

LE PETIT DERNIER

Roman

JC Lattès

Maquette de couverture : Bleu T
© Richard Kalvar/Magnum Photos
ISBN : 978-2-7096-3020-7

© 2013, éditions Jean-Claude Lattès.
Première édition janvier 2013.

*Aux uniques, aux aînés, à ceux
du milieu, aux cadets, aux petits
derniers et surtout aux autres.*

Alas, poor Yorick !

I

1.

Déambulant dans le cimetière, je cherche à ensevelir un crâne humain. C'est un support de méditation transcendantale que Cécile, une de mes grandes sœurs, m'a légué avant de quitter la maison. Mon oreille gauche est soudain retenue par un frottement caverneux de granit. Je m'immobilise, ma tête pivote, mes yeux scrutent les tombes baignées par un chaud soleil de juin : là, juste là, une pierre tombale bouge par petits à-coups. Ce phénomène ne me surprend pas. J'ai grandi dans la croyance en la résurrection des morts, et l'on n'arrive jamais à se débarrasser des choses qu'on nous a inculquées petits.

Un écart se creuse entre le lourd couvercle et les bords, s'élargit avec régularité. J'observe ce trou grandir. Je n'ai pas peur. J'en ai tant vu sortir de leur tombe pour revenir importuner le monde. Soudain, la tête de ma mère y apparaît, en dépasse, puis ses bras. Elle s'extirpe au-dehors dans un parfait rétablissement. Elle porte une robe marronnasse à motifs floraux informes et des chaussures de sport d'un blanc étincelant. Ma mère en chaussures de sport ! Je n'en crois pas mes yeux. Qu'elle ressuscite, passe encore, mais en chaussures de sport… Elle n'a jamais fait de sport. Jamais de sa vie. Je suis contrarié.

Elle est maintenant là tout entière, sur ses deux pieds, et s'étire en tendant les bras bien haut. Elle est toute jeune. Vingt ans à peine, les cheveux noirs de jais retenus en chignon improvisé par un crayon papier. Très belle malgré son accoutrement. Elle découvre soudain ma présence.

« Jeanmajeanpaul ! Qu'est-ce que tu fais là ? » me demande-t-elle, effarée d'être surprise ainsi et à cet âge.

Toujours cette habitude de ne pas pouvoir prononcer mon prénom, Jean-Paul, sans commencer par celui de mon frère Jean-Marc. Mais j'ai dépassé tout cela. Les chaussures de sport, en revanche, me restent en travers. Je réponds quand même à sa question.

« J'allais me débarrasser du crâne de méditation de Cécile. Tu comprends bien que je ne peux pas garder une chose pareille. »

Elle hausse les épaules, ne répond rien. Elle a dévolu à Cécile une partie de mon éducation affective et sexuelle. Ça s'est terminé par le legs du crâne. Ce n'est pas au sortir de sa tombe que ma mère va y réfléchir. Alors, moi aussi, je fais comme si de rien n'était.

« J'allais finir quelque chose quand tu as ressuscité. Je ne savais pas que tu étais là. »

Ses chaussures de sport m'irritent. Jamais elle ne m'en a offert d'aussi belles. Je bous intérieurement – ça explose soudain.

« De toute façon, tu le sais, je ne suis pas allé à ton enterrement ! »

Elle reste silencieuse, semble indifférente à mon aveu. J'en profite pour jeter un coup d'œil à la pierre tombale. Oui, « Marie-Thérèse Bergamo », c'est bien ça. Elle garde la tête baissée, comme une pénitente. Soudain, elle chuchote d'une voix sensuelle que je ne lui connais pas.

« Tu ne diras rien ?

— Sur quoi ?

— Eh bien… mon maquillage… »

Je soupire.

« Fais voir. »

Elle lève la tête. Je la dévisage. Effectivement. Elle a maladroitement coloré ses paupières en mauve et souligné le contour de ses yeux vert sombre au crayon bleu foncé. Ils irradient une animalité à provoquer des émeutes. Cela ne me regarde pas.

13

« Oh ! C'est très discret, tu sais. Ça te va bien.

— Tu ne diras rien à Mamie ? reprend-elle. Tu sais que ça la met hors d'elle.

— Écoute, c'est vraiment très discret. Mais sois tranquille, je ne dirai rien, et surtout pas à Mamie. »

Je constate que dans sa tête règne toujours une certaine confusion. Je lui rappelle que Mamie, sa propre mère, est morte dans un accident de voiture avant que je sois né.

« Je sais bien, mais quand même, répond-elle.

— Je ne lui dirai rien, même morte. Tu peux partir tranquille, faire ta vie de femme maquillée. »

Elle me dévisage soudain de son nouveau regard, me questionne d'une voix un peu rauque.

« Et toi… tu fais quoi, dans la vie ? »

Je rougis. Elle n'est pas seulement belle, jeune, pleine d'avenir et de maquillage, mais s'intéresse à mon sort. À quoi bon lui cacher la vérité ?

« Je suis psychanalyste.

— Ouah ! lâche-t-elle bouche bée. Jean-Paul, mon petit dernier, psychanalyste ? J'aurais bien voulu faire ça s'il n'y avait pas eu ton père. »

Ça sonne vrai, pour une fois qu'elle m'appelle par mon prénom. Je reste silencieux. Une grande chaleur se propage en moi. C'est de l'amour. Avec des yeux et une voix comme ça, elle pourra tout obtenir des hommes. Elle réarrange ses cheveux en levant bien haut les bras. Ses aisselles dégagent les inéluctables phéromones, préludes aux quiproquos, aux enfants, puis aux divorces.

« Tu viens avec moi ? » chuchote-t-elle en regardant de côté, pour bien me montrer le contraste entre la ligne noire du contour de ses paupières, son iris vert sombre et son blanc d'œil, blanc comme ses dents bien rangées.

J'oppose un sourire professionnel à cette invite. La distance que le psychanalyste doit garder avec sa mère, bien que, ayant réglé son Œdipe, plus rien ne s'oppose à partir avec elle – mais comme par hasard cela n'intéresse plus. Cependant, je ne peux pas le lui dire ainsi, et que nous ne vivons pas sur un même plan, elle et moi, nonobstant son jeune âge. Mais elle minaude, attend une réponse. Je la lui dois. Par ailleurs, le niveau de phéromones devient intenable. Il me faut l'éconduire sous peine de transgression, mais sans trop la heurter. Je trouve enfin une porte de sortie.

« Je suis homosexuel.

— Ah ! s'exclame-t-elle avec une moue de dépit. C'est dommage, parce que tu es beau garçon... et... ça fait comment de... je veux dire d'être... »

Je coupe court.

« Tu es une très belle femme, tu plairas à l'homme que tu veux. Pas trop de café, hein ?

— Alors, au revoir ? dit-elle en regardant ses ongles un peu sales.

— Voilà, lui dis-je. Au revoir. »

Elle file vers le portail du cimetière, non sans me jeter une dernière œillade. Quelle salope, tout de même. Faire ça à son fils. Mais bon, je lui pardonne, elle est toute jeune encore. Je ne l'avais jamais vue courir. Elle détale, coupe à travers champs. Avec des yeux comme ça, elle ira loin. Maintenant, du fait de la couleur de la robe, sa silhouette s'estompe, là-bas – seules les chaussures de sport sursautent comme deux petites queues de lapin.

Si j'étais parti avec elle, ça aurait été l'Enfer – non pas, encore une fois, parce que mère et fils ne se mettent pas en ménage, non, la question n'est pas là. Notre couple n'aurait pas pu fonctionner à cause de ses chaussures.

2.

Tout de même. Cela m'a fait quelque chose de la revoir en vrai. Je m'assois un moment sur la tombe d'en face. Il fait chaud. Je me laisse bercer par de vagues réminiscences, de plus en plus précises. Tout avait déjà basculé pour moi, baignant in utero dans la caféine maternelle, lors de l'une de ces journées du mois de juin de l'année 1974. Après que soient partis mon père au travail, mes sœurs et mon frère à l'école, ma mère reste assise à la table de la cuisine, son antre, sa tanière, devant un nouveau bol de café noir. Au-dessus, là-haut, au mur, l'affreuse pendule jaune en céramique. Devant un étal d'objets vernissés, mon père avait dû la trouver jolie. « Achète-la si tu veux » avait-il lâché mollement, plusieurs fois. Cette pendule, ma mère n'en avait rien à faire. Elle a eu beau dire « mais non, voyons, Robert », elle l'a achetée pour avoir la paix. C'est lui qui la voulait sans oser le dire franchement.

Une pendule, ce n'est pas ça qui la soulagera des enfants, de la cuisine, du ménage et de mon père. Toujours devant son café, ma mère fronce les sourcils. Elle dort mal.

Je vois bien, de là où je suis, que tout se bouscule dans sa tête : « Tu dors mal à cause du café, tu en bois trop, droguée ! » lui lance continuellement Anne-Marie (ma plus grande sœur, terme que je trouve adéquat pour la distinguer de Cécile, sa cadette). « Parler comme ça à sa mère, impertinente, saleté, elle l'a toujours été, même bébé, elle hurlait sa haine en la dérangeant dix fois par nuit jusqu'à l'âge de cinq ans. Cécile, née trois ans après, plus gentille, était quand même mal tombée, elle le lui a dit l'année dernière, à la gamine, toi, tu es plus gentille que ta sœur, mais je ne te voulais pas, comme ça c'est clair et net, de toute façon elle en a marre, marre, marre, et voilà maintenant que cette peste d'Anne-Marie est influencée par les choses qui courent depuis quelques années, amourettes, maquillage, comme si elle, Marie-Thérèse, en 1943, n'avait eu que ça à faire à treize ans, à treize ans, en 1943, les rutabagas, la Gestapo, les privations, 1968, heureusement qu'elle a eu Jean-Marc au mois de mai de cette année-là, petit garçon, gentil petit dernier, six ans, déjà, joli petit visage, jolis petits yeux cerclés de lunettes à monture noire, sourire enjôleur, cheveux châtains, pas

18

encore souillé par l'adolescence et les mauvaises tendances. »

Ensuite, elle termine le bol, on se lève pour s'en verser un autre, on se rassoit et ça continue pêle-mêle, comme un torrent qui la traverse et dans lequel elle surnage à peine : « Ah je bois trop de café, et alors, c'est comme ça, il y a des choses qui sont comme ça, on n'y peut rien, on ne discute pas, l'unité, c'est le bol, huit bols par jour, au moins deux litres de café, les tasses ne font plus rien, les tasses, c'était il y a longtemps, maintenant, les bols, surtout depuis ces nausées, il n'y a plus que le café pour les contenir, la ménopause, les dérèglements, saleté de condition féminine, jusqu'au bout la chienlit, on peut dire ce qu'on veut, dans la vie, les femmes dégustent plus que les hommes, c'est ce que disait Mamie et elle avait bien raison, elle en savait quelque chose après avoir élevé seule trois enfants, et Dieu sait s'ils avaient été retors tous les trois, avec son frère et sa sœur. »

Le flot dure un moment, ça me berce, je m'endors, puis elle se lève d'un bond, ça me réveille, elle rince le bol sous l'eau froide, le range à côté de la cafetière et passe le reste de la matinée à faire du rangement, du ménage, du repassage et le repas de midi, jusqu'à ce que la pendule indique midi moins vingt, l'heure de partir chercher Jean-Marc à l'école.

Elle lui a préparé son menu préféré : une salade de tomates, des spaghettis à la tomate et au fromage avec du bifteck haché, un morceau de camembert et un yaourt aux fraises. Elle le trouve bien trop petit pour manger à la cantine. Elle ouvre la fenêtre de la cuisine pour voir le temps. Il fait bon. Un vrai mois de juin. Trop pitit ! trop pitit ! dit-elle à voix haute. Comme tous les midis, à ce que je constaterai à partir d'aujourd'hui, elle lui dira « pitit Jean-Marc ! » en lui tendant les bras. Et lui répondra « Maman ! ». Et cela lui suffira à gommer ce qu'elle appelle ses filles odieuses et cette chiffe molle de Robert.

Dans l'entrée, elle enfile son imperméable blanc cassé, passe son sac en bandoulière et on sort au grand air. Sur le chemin de l'école, elle chantonne un de ces nouveaux cantiques préconisés par Vatican II, *J'étais dans la joie, Alléluia*. Elle pense que ce n'est pas la pire invention de ce concile réformateur. Au moins, on comprend ce que l'on chante, pas comme avant, avec tout ce latin. Elle n'est pas si réactionnaire, au fond. Moi, de mon point de vue, quoi qu'elle chante, je suis content. Ça fait de bonnes ondes qui diluent un peu la caféine.

Elle débarrasse la table pendant que son-pitit-Jean-Marc termine un yaourt. On a mangé avec lui quelques cuillers de coquillettes, un bout de fromage et une poire. Il file jouer dans sa chambre. Pendant qu'elle prend son bol de café, il joue au Meccano. Dans sa chambre, mais il est là. Il est toujours là. Je comprends qu'elle le constate de façon récurrente. Il est sorti indemne du chaos de l'accident de mai 1968 : sa mère dans la voiture, à l'arrière avec les filles, elle devant, enceinte de neuf mois, et sa sœur qui conduit. Et puis le camion sur la droite. Son souvenir s'arrête là-dessus : cris et froissements de tôles. La suite, on la lui a racontée à l'hôpital une fois réveillée. Vous êtes restée un mois dans le coma. On vous a accouchée d'un fils, il va bien. Jean-Marc ! s'était-elle écriée. Elle avait toujours voulu un fils, un petit Jean-Marc, comme son petit frère à elle, un Jean-Marc aussi ! On le lui avait montré. Immobilisée par des cordes passées dans des poulies, elle n'avait pas pu le prendre dans ses bras. Mais elle l'avait tout de suite aimé. Ensuite on lui avait dit que ses filles, éjectées sur l'herbe, n'avaient rien eu, comme sa sœur un peu choquée mais rien de cassé. Et maman ? avait-elle demandé, la voix tremblante. Votre mère est morte sur le coup. Elle n'a pas souffert. Vous auriez pu tous mourir.

L'infirmière l'avait laissée un instant, à méditer la nouvelle, suspendue, emplâtrée sur tout le côté droit, de l'épaule jusqu'à la cheville. De cette gangue émergeait un enchevêtrement de tiges métalliques.

Une fois revenue, elle lui avait demandé ce que c'était. Des broches. Votre humérus et votre fémur droits ont été brisés en plusieurs morceaux, le tibia, la cheville, des côtes aussi, mais là, on ne peut rien faire, il faut attendre. Le professeur pense sauver votre épaule. Vous avez eu de la chance, et le bébé aussi. En voiture, on appelle ça la place du mort, vous le savez bien.

Robert, mon père, était revenu précipitamment de sa mission en Afrique pour le ministère. Il était désolé. Il lui avait demandé si elle avait « besoin de quelque chose ». Elle l'aurait giflé si elle avait pu.

En fin d'après-midi, ce jour-là, comme mes sœurs sont rentrées en retard, à six heures et demie, ça va crier pas mal. Heureusement, les pavillons de mes oreilles ne sont pas encore développés.

« Vous êtes en retard, vous avez traîné ? aboie ma mère.

— Ce n'est pas la peine de nous engueuler ! répond Anne-Marie.

— C'est toi l'aînée, vous n'avez pas à traîner dans la rue !

— Tu n'as qu'à moins boire de café, ça te rendra moins nerveuse ! Droguée ! ajoute Anne-Marie avec hargne.

— Va dans ta chambre ! hurle ma mère. Sans cesse impertinente ! »

Deux chiennes qui s'aboient dessus ne feraient pas moins de bruit. Anne-Marie disparaît en criant quelque chose d'inaudible. Cécile poursuit sur un ton contrit.

« On est allé au square avec des copines. C'est la fin juin tu sais, on ne fait plus rien…

— Cécile, puisque tu ne fais plus rien, aide-moi à éplucher les pommes de terre. Jean-Marc ! Jean-Marc ! Demande à Anne-Marie de te faire couler le bain ! »

On s'installe avec Cécile à la table de la cuisine devant un saladier de pommes de terre déjà rincées. Cécile sort les couteaux éplucheurs du tiroir de la table et elles se mettent à l'ouvrage en silence. Je m'assoupis sur le doux frottement des peaux de pommes de terre, mais en émerge un son de cornemuse sur un rythme saccadé qui m'empêche de me laisser aller.

« Qu'est-ce que c'est que ça ? demande ma mère.

— C'est Anne-Marie, tu le sais bien, maman. Elle a encore mis un nouveau disque. Le quarante-cinq tours qui vient de sortir… »

C'est point commode
D'être à la mode

Le petit dernier

Quand on est bonne du
Curé

On se lève d'un bond et ma mère sort de la cuisine.

Entre la cure
Et les figures des
Grenouilles de bénitier
La vie est dure
Quand on aime rigoler

Oui, cela vient de la chambre des filles, une voix avec un accent campagnard – à ce que j'imagine *in utero* de la campagne. Le volume est au maximum. À treize ans ça écoute ces saletés-là, marmonne ma mère en collant l'oreille contre la porte.

Ça me gratouille
Ça me chatouille
Ça me donne des idées
J'fais qu'des bêtises
Derrière l'Église

C'en est trop. Elle tourne prestement la poignée – fermée à clef. Des poings elle cogne sur la porte en criant. Ça me secoue un peu, j'aurais préféré rester à l'épluchage des pommes de terre.

24

Le petit dernier

« Anne-Marie ! Tu enlèves ça tout de suite !
Tout de suite ! »

Je voudrai mettre
Une minijupe
Et un corsage à
Trous trous
Car les cantiques
Ça n'vaut pas Claude Françoué

« … si tu n'arrêtes pas ce disque tout de
suite… »

J'voudrai bien…
Mais j'peux point…

« … tu vas les avoir les oratoriennes ! »
La porte reste fermée sur un grand silence brutal.
Ma mère savoure sa victoire. J'en conclus que
la menace d'un séjour en pension chez les sœurs
oratoriennes emporte un parfum de sévérité extrême,
de fantasmes de sévices, dissuasive auprès d'Anne-
Marie. Le mot lui-même « oratoriennes » semble
évoquer l'ablation chirurgicale d'un organe imagi-
naire situé à mi-chemin entre les ovaires et les
amygdales. D'ailleurs je sais déjà que Cécile le rappelle souvent à Anne-Marie, sur un ton fataliste :
Tu vas finir par les avoir, les oratoriennes.

« … ce soir, tu manges dans ta chambre. Maintenant, tu donnes le bain à ton frère ! » crie ma mère en retournant à la cuisine.

« J'ai bien avancé les pommes de terre », lui dit Cécile lorsqu'on se rassoit à côté d'elle.

Mon père rentre comme d'habitude à huit heures moins le quart alors que ma mère débarrasse la table de Jean-Marc en déplorant qu'il a taché son pyjama rouge. Mon grand frère, néanmoins assez petit, lui saute au cou avant même qu'il pose à terre sa lourde serviette de cuir noir.

« Bonsoir, fils ! lui dit mon père.

— Anne-Marie a un disque interdit ! claironne Jean-Marc.

— Ah oui ? répond mon père machinalement en ôtant son imperméable beige. Tu as passé une bonne journée à l'école ? »

Jean-Marc file dans sa chambre. « Bonsoir Marie-Thérèse et Cécile ». Ma sœur et ma mère mettent la table pour le repas du soir.

« Vous ne mettez que trois assiettes ? demande-t-il.

— Anne-Marie est punie, lui répond Cécile en soupirant.

— Ah…, répond-il.

— Oui, enchaîne ma mère, punie, elle mange dans sa chambre. Ça lui apprendra à

acheter et mettre tout haut des disques blasphé-
matoires. »

Mon père va frapper à la porte de la chambre
des filles. On l'entend parlementer, la porte
s'ouvre, puis se referme. Il revient quelques instants plus tard, un demi-sourire aux lèvres.

« Elle m'a fait écouter... C'est assez drôle...

— Robert ! explose ma mère. Devant les
enfants ! »

Il nuance son propos d'une voix moins assurée.

« Enfin... c'est... c'est de la variété...

— Cécile, ordonne ma mère en lui tendant une
assiette où se battent trois pommes de terre à l'eau
et un morceau de gruyère, va porter son repas à ta
sœur. »

Mon père s'installe à sa place.

« Tu as passé une bonne journée, Marie-Thérèse ?
demande-t-il poliment.

— Comme d'habitude, tu le sais bien, Robert »,
le rabroue-t-elle.

Alors, comme tous les soirs, entre deux cuillers
de soupe aspirées dans un bruit de chien qui lape
et deux bouchées de pommes de terre à l'eau, il
raconte sa journée au Ministère. Ce que le sous-
directeur de service a préconisé dans la conjonc-
ture économique actuelle. La note de cinq pages
qu'il a adressée au directeur. En quoi l'emploi de
« toutefois » est préférable à celui de « par contre »,

trop brutal. Je profite de ce soliloque ronronnant pour dormir un peu. Cécile l'écoute religieusement pendant que ma mère fait le service, se lève constamment pour chercher une cuiller, un dessous-de-plat, du sel. Mon père le pressent : Cécile pourrait devenir fonctionnaire un jour. Elle en a les qualités, la modestie surtout.

« Tu ne manges pas, Marie-Thérèse ? suggère-t-il enfin, davantage fatigué de tous ces mouvements de chaise que soucieux de son régime alimentaire.

— Mais bien sûr que si, Robert, répond ma mère excédée en se rasseyant. Il faut bien apporter les plats. Après le dessert, Cécile, tu débarrasses la table.

— Bien, maman », répond Cécile, toujours diplomate.

Ma sœur Cécile pense qu'il est inutile de contrarier notre mère, en permanence sur les nerfs. Elle fait son devoir de rééquilibrer, réparer, arrondir.

« Mon Dieu, neuf heures moins le quart, il faut coucher Jean-Marc, déclare soudain ma mère sur un ton qui me réveille. Jean-Marc, viens dire bonne nuit à papa et Cécile ! »

Le petit dernier accourt, une Simca 1000 en plastique à la main. Il embrasse mon père et ma sœur et précède ma mère dans sa chambre, sa chambre à lui. Il ne dort pas avec nos sœurs. Ma mère pense qu'elles pourraient être impudiques, surtout Anne-Marie. Elle sait, elle a vécu ça avec ses frères et sœurs, elle en a parlé à demi-mot avant sa résurrection – à moins qu'elle ait inventé la chose, comme elle savait très bien le faire. Ce qui est sûr, c'est qu'Anne-Marie et Cécile, comme les jeunes guenons de la fosse aux singes du Zoo de Vincennes avec leurs mères, ont essayé de lui prendre le petit, d'étendre leur influence sur lui : peine perdue. C'est son petit Jean-Marc à elle, un point c'est tout.

À son chevet, ma mère lui fait faire sa prière, le signe du pouce sur le front et lui souhaite une bonne nuit. Toujours, elle le remet à Dieu avant qu'il s'endorme.

Lorsqu'on revient au salon, mon père et Cécile regardent *Intervilles* à la télévision. Ce soir, c'est Nantes contre Lyon. Ma mère file dans la cuisine faire la vaisselle en entendant Cécile dire à mon père que ça serait bien d'avoir la télé en couleur, qu'elle l'a vue chez une copine, que c'est mieux. Tout ce spectacle me fatigue. En fait, même s'il n'y a pas de secrets pour moi, on aura compris que, compte tenu de ma localisation et de mon stade de développement, j'alterne des périodes de veille et de sommeil, parfois très rapprochées. Par contre – et cela reste un mystère puisque rien ne m'échappe – c'est bien plus tard que j'apprendrais que Nantes a gagné ce soir-là.

3.

« Vous pouvez vous rhabiller, Madame, nous dit le docteur Gabriel. Quel est votre âge exact ? »

Sur la table d'examen, ma mère calcule de janvier 1930 à juillet 1974, puis souffle d'une voix lasse les mots « quarante-quatre ans et demi ». Elle est venue consulter ce matin pour ces vertiges persistants, des bouffées de chaleur aussi, signes de ménopause, une ménopause ardemment désirée après trois grossesses et un désintérêt persistant pour ce qu'elle appelle *les choses de la vie*, expression qu'elle tient de sa mère dont elle voit soudain réapparaître la bouche déformée en rictus de dégoût. Elle se rhabille lentement. Le médecin, retourné à son bureau, feuillette une encyclopédie médicale. Il s'arrête longuement sur une page puis émet un grognement sombre.

Une fois nous assis face à lui, il poursuit doucement.

« Pour moi, Madame, vous êtes enceinte…

— Qu'est-ce que vous dites ? Enceinte ? Ce n'est pas possible.

— Vous êtes enceinte, répète le docteur Gabriel, et d'environ deux mois… »

Elle ricane.

« C'est absurde ! »

J'aurais préféré me souvenir de la victoire de Nantes à *Intervilles* plutôt que de cette visite médicale, mais a-t-on le choix de ses souvenirs ?

« … trois grossesses dont la dernière terminée en césarienne… toujours cette hypertension artérielle de 15.5… surconsommation de café… c'est beaucoup… il va falloir être courageuse, Madame… »

Les choses de la vie, profère le rictus maternel. Elle a confiance en lui, il a plus de soixante ans, c'est son médecin depuis toujours. De toute façon, elle sait ce qu'il va dire. Elle l'a appris à l'école d'infirmières. Elle s'empare machinalement de son sac à main et le place sur ses genoux.

« … accoucher à quarante-cinq ans, les risques de mongolisme sont très élevés. Quant à la grossesse, avec des artères comme les vôtres… j'ai perdu tant de patientes dans des contextes moins préoccupants. Je ne peux pas vous conseiller de mener cette grossesse à terme, Madame. Le pronostic vital est en jeu… »

Le petit dernier

Je fais le dos rond. Mongolisme. Mieux vaut être sourd que d'entendre ça. Enfin, bon, elle sait que j'existe. Avec un peu de chance, j'aurai droit à moins de café.

Les choses de la vie, répète la bouche maternelle. Comblée de son sac, ma mère fixe, sur le bureau du docteur Gabriel, ce ridicule pot en cuir rempli de petits crayons de couleur taillés à la même hauteur. Surnageant de sa contemplation des mines multi-colores et pointues aiguisées comme des fléchettes, elle entend des groupes de mots : interruption médicale de grossesse, sinon clinique très privée, dis-crétion totale, à l'étranger, pas si onéreux par rap-port au risque encouru. La figure du président Giscard d'Estaing lui apparaît soudain, chassant la bouche de sa mère. Enceinte de deux mois… quand était-ce donc ? Il y a longtemps que les rapports intimes… enfin… il y a deux mois, peut-être… cer-tainement… ce discours de Giscard d'Estaing à la télévision, il venait d'être élu président de la Répu-blique et ensuite… Joli mois de mai 1974. Deux mois. C'était si loin, maintenant. Que s'était-il donc passé ? Robert avait été impressionné par Giscard, son être de fonctionnaire s'était senti virilisé par ce jeune et fringant président qui n'avait pas l'air inverti malgré ce drôle de prénom de fille, Valéry. Oui, Robert avait changé ce soir-là, et elle aussi, peut-être… mais alors ce Giscard les a séduits par

32

la télévision, c'était péché… péché ! La voix du médecin poursuivait, plus beaucoup de temps pour réfléchir, en parler à votre mari. *Les choses de la vie*, rictusse la bouche de Mamie. Péché, péché !

Soufflant violemment par le nez comme pour chasser le Malin, ma mère reprend ses esprits.

« Merci, docteur, je vais prendre le temps de la réflexion.

— Je vous fais une ordonnance pour la prise de sang. »

Elle paye, prend l'ordonnance, passe son imperméable blanc cassé et empoigne son sac à main.

« Tenez-moi vite informé de votre décision, Madame », lui dit le docteur Gabriel l'air inquiet en la raccompagnant.

On regagne l'appartement à pied. Il fait beau, mais cela l'indiffère. Seule la figure de Giscard d'Estaing, soleil absurde éclairant sa perplexité, trône au-dessus de sa tête. Comment l'appelle-t-on déjà ? VGE ! C'est ridicule, cela ressemble au mot « verge » écrit en majuscules et tronqué. Et cette abomination que le médecin propose, c'est péché, mon Dieu c'est péché ! Son cœur s'emballe soudain, je le sens bien, alors elle marche plus vite. Il y a ces nausées, bien sûr, elle connaît cela, alors pourquoi n'y a-t-elle pas pensé tout de suite… quarante-quatre ans et demi… enceinte à quarante-quatre ans et demi…

mais elle va vers la ménopause, elle le sait pourtant... la voix chuintante de Giscard résonne à
l'intérieur de sa tête – bonchoir Madâme – pourquoi
lui ? mais pourquoi lui ? déplore-t-elle soudain en
sentant des larmes lui monter aux yeux, bien sûr elle
a voté pour lui mais Robert n'en a rien su, lui a voté
Mitterrand, ce Satan socialo-communiste, et elle n'a
fait que cela avec Giscard, voter, pas de quoi être
enceinte, alors pourquoi ce soir-là, après le discours
à la télévision, que s'est-il donc passé puisque Robert
n'a pas voté Giscard, il aurait dû être déprimé, à
moins qu'il lui ait menti. Il n'y a pas d'autre homme
que Robert ! Quoi qu'il en soit ils ont forniqué à
cause de ou grâce à Giscard d'Estaing, dont le visage
oblong lui apparaît sous la forme d'une tête de trisomique aux oreilles décollées, chuintant *Les choses
de la vie ! Les choses de la vie !*

On arrive à l'appartement dans un état fébrile,
elle se précipite à la cuisine sans même ôter son
imperméable. Je sens que c'est reparti pour une
dose. Du café. Du café. Elle soulève le couvercle
de la cafetière – il n'y en a plus. Elle met l'eau à
chauffer sur le gaz, place nerveusement le filtre en
papier dans son support de plastique et l'emboîte
sur la vieille cafetière marron à l'intérieur saturé de
caféine, pâle reflet des parois contre lesquelles je
me tiens, qu'elle chauffe au bain-marie dans une
vilaine coupelle de zinc entartrée jusqu'aux bords.

Le petit dernier

Elle saisit le paquet entamé de pur arabica, l'ouvre et y fourre son nez. L'odeur l'apaise immédiatement. Droguée, droguée ! résonne la voix d'Anne-Marie. Elle en verse deux cuillers à soupe dans le filtre, l'eau frémit, elle coupe le gaz et amorce le goutte-à-goutte dans un soupir de soulagement. Le fumet… une inhalation déjà. Bientôt un grand bol irriguera ses veines, son cerveau, mon cordon (je me permets de me l'attribuer), lui procurant la paix, chassant cet affreux Giscard trisomique. Elle termine le transvasement de l'eau bouillante dans le filtre déjà vide et ôte son imperméable.

Après un deuxième bol, son sang-froid lui revient peu à peu. Elle passe en revue les prêtres susceptibles de la recevoir en confession. Elle écarte le père Bluche à la voix mielleuse et aux yeux doux et noirs – dont le seul souvenir des cheveux bouclés passés à la brillantine provoque en elle des frissons –, le minuscule père Toinet, au regard perçant de ses yeux bridés – qu'elle surnomme en son for intérieur *le petit Japonais* car elle l'imagine la fouettant avec une tige de bambou – et, par-dessus tout, le père Fabien, son gauchisme et surtout sa puanteur venant des aisselles qui lui a déjà déclenché des accès de tachycardie. Juste après ces trois recalés s'impose la calme figure du père Brisemur. Aucune fantasmagorie avec le père Brisemur. Il

respire la rusticité, la simplicité, le terroir, la pro-
preté et surtout l'absence totale d'intérêt pour *les
choses de la vie* – elle le sent, c'est une deuxième
nature chez elle. Malgré tout le respect qu'elle leur
porte, quelque chose – c'est péché, elle le sait bien,
mais c'est si fort – lui susurre que certains prêtres
sont *sexuels*. Ce mot, entré dans sa tête elle ne sait
comment, s'intercale comme un panneau interdic-
teur lorsqu'un élément de séduction lui apparaît
dans la physionomie, l'allure ou le comportement
d'un des représentants du Christ. Elle ne le prononce jamais, c'est pire que jurer. Rien que
d'entendre ce mot dans sa tête, *sexuel*, son souffle
devient court, son pouls lui bat aux tempes : pure
présence de Satan. Elle n'a jamais parlé de cela à
quiconque, surtout à Robert et encore moins en
confession. Elle en est convaincue : tous les prêtres
de son entourage sont *sexuels*, sauf Brisemur. Le
yoyotement d'une voix grave et gentille comme
celle d'une peluche de conte télévisé pour enfants,
un crâne sémantiquement indéterminable – à la
fois chauve et recouvert de cheveux épars – un âge
proche de soixante-dix ans, des lunettes à double
foyer et surtout de vieux brodequins en cuir noir
à fermeture Éclair centrale, tout cet ensemble
empêche Brisemur d'être *sexuel*. Et la preuve qu'il
ne l'est pas du tout ? Même ces fermetures Éclair,
telles deux braguettes ambulantes, ne convoquent

en elle aucune sensation impure. Nul membre ne surgira du coup de pied des chaussures comme un diable de sa boîte si d'aventure les zips s'ouvrent tout seuls. Rien. Oui, Brisemur n'évoque rien qui provoque les sens. Elle téléphone à la paroisse pour s'enquérir des jours de permanence du père Brisemur – tous les mardis matin, répond le sacristain – c'est aujourd'hui. Il n'est que dix heures trente, elle y voit un signe divin, remercie, raccroche, passe de nouveau son imperméable, saisit son sac, sort et on se dirige vers la station du bus qui mène à l'église.

Dès l'entrée, à côté des vieux fonts baptismaux, une affichette confirme que le père Brisemur assure la permanence du jour. Elle se dirige vers le confessionnal et s'y s'agenouille en confiance. Jupe grise au-dessous des genoux, elle a gardé son imperméable. Elle ne se dévêt jamais en confession. Ce serait indécent, et puis des voleurs, même dans l'église, peuvent profiter de ce moment pour s'enfuir avec les manteaux, les sacs surtout. Elle garde toujours le sien lanière en bandoulière et coincé entre son ventre et la mince paroi de bois qui la sépare du prêtre. Là, on ne peut pas le lui prendre.

En posture de pénitente, elle distingue le profil de Brisemur à travers la grille de bois. Vraiment idéal, pas *sexuel* du tout. Bientôt, le yoyotement de la voix rassurante fendra le silence familier empli de cette odeur de cierges brûlés et des petits grincements du confessionnal, ce bois qui craque aussi d'en entendre autant. Et cette voix ! Rien que d'entendre cette voix la libérera d'un poids.

« Marie-Thérèse-yeu… Qu'est-ce qui vous amène vers le sacrement de pénitence aujourd'hui-yeu ? »

Cette voix si grave, si douce. J'en ressens une transformation frissonnante. Elle sort un mouchoir de sa poche pour s'essuyer les yeux et se moucher.

La voix, comme un gros chat, attend patiemment. Enfin elle parle. Peu, mais d'un ton las mêlé de points d'interrogation. Car elle s'interroge… Quarante-quatre ans passés, c'est très dangereux, le médecin le lui a dit…

« C'est une horrible tentation pour certaines femmes-yeu, dont vous n'êtes pas-yeu », coupe la voix.

Elle s'entend protester avec une sorte de véhémence contenue qui ne lui ressemble pas, surtout en présence d'un prêtre. Il s'agit d'une chose écrasante, une chose que seul un prêtre non *sexuel* peut comprendre, elle en est persuadée. Mais, pour autant, elle n'évoque pas la question de Giscard d'Estaing, trop absurde. Elle parle en tournant autour du pot, sans pouvoir prononcer les termes qui peuvent souiller le confessionnal, « interruption

médicale de grossesse » — sans compter « avortement », qui nécessiterait la reconsécration de
l'église tout entière.

« Si c'est péché véniel d'y penser-yeu, énonce la
voix qui sait bien écouter à travers les circonvolu-
tions, c'est péché mortel de le faire-yeu. »

Elle se tait quelques secondes, puis répète plusieurs fois le même mot, comme une supplication.
Elle pense un instant qu'elle aurait dû choisir un
prêtre qui avait peut-être fait commettre ce péché
à l'une de ses pénitentes – mais Satan la tente
ainsi.

« Votre vie n'est qu'une vie de mortelle-yeu,
comme les autres vies-yeu. Un enfant difforme est
aussi une créature de Dieu-yeu. Allez en paix et ne
commettez pas le meurtre-yeu, que dis-je, l'assassinat-
yeu. »

Enfant difforme… Vraiment, ce Brisemur. Je
me rendors.

La voix chaude anéantit les mauvaises pensées.
Elle se signe et repart allégée. Brisemur l'a remise
dans le droit chemin. Un *sexuel* ne lui aurait pas
résisté. Même si elle n'a plus vingt ans, elle a toujours su convaincre les hommes par des jérémiades
sophistiquées.

En sortant de l'église, vers l'arrêt de bus, elle
réentend la voix du docteur Gabriel dans le silence

un peu lourd qui a succédé à l'examen. « De quand, Madame, datent vos dernières règles ? » Elle hausse les épaules, ce qui me réveille relativement. Après trois grossesses, elle en parle toujours difficilement. Avec sa mère, ce mot de règles n'a jamais désigné qu'un double décimètre. À l'époque, on disait les menstrues, à voix basse : j'ai mes menstrues. Longtemps, elle pense qu'elle est monstrueuse. C'était pour cela qu'elle a fait des études d'infirmière. Pour savoir en quoi elle est monstrueuse. Elle les a eues la première fois juste après l'arrestation, en 1943, rue de Rivoli, à côté de chez sa mère. Ça l'avait affolée. Autant, même plus que d'avoir été prise pour une juive. Le médecin répète la question. Elle compte dans sa tête, s'entend répondre dans un souffle, « deux mois, mais c'est la ménopause, Docteur ». C'est là qu'il dit « pour moi, Madame, vous êtes enceinte ». Ça l'a rendue perplexe. Aucun souvenir récent d'avoir fait ça. C'était fini depuis longtemps. Et même aucun souvenir tout court après trois grossesses. Elle a dit à Robert qu'il n'en était plus question. Je vais vous prescrire une prise de sang, a-t-il ajouté. Ensuite, Giscard, les mots du médecin, l'horrible rengaine des *choses de la vie* avant que la voix déterminée du père Brisemur ne chasse tout cela dans les profondeurs des enfers.

40

Le petit dernier

Descendant du bus, ça lui revient comme émergeant de la brume. Le soir de l'élection du président Valéry Giscard d'Estaing, 19 mai 1974, à l'abri de la menace socialo-communiste, elle s'est laissé mener par un pouvoir de séduction, oui, elle s'est donnée à Giscard en lui donnant sa voix – la suite, les modalités, elle ne s'en souvient pas. Robert, forcément : Insignifiant, insipide, indigne du souvenir, mais nécessairement Robert. Elle ne l'a jamais trompé. Giscard est resté sagement dans le poste de télévision. Il a bien d'autres femmes à sa disposition qu'une ménagère bigote prématurément vieillie par trois grossesses. Robert, forcément. Pas de quoi en parler en confession.

Elle déjeune de deux œufs au plat et d'un peu de riz, puis on fait la sieste jusqu'à deux heures. Au moins, les nausées cesseront un peu. J'en profite pour réfléchir à tout ça : Giscard, Brisemur, la petite famille qui tourne toute seule son gros vélo dans la tête... La sortie s'annonce problématique. À son réveil, elle se prépare un nouveau café. Son bol fumant à la main, cheminant vers le salon, elle s'installe devant la télévision pour regarder le magazine *Aujourd'hui Madame*. Elle le regarde tous les jours, même si elle le trouve un peu osé. La musique de générique déjà, très rythmée comme une course progressive mêlant clavecin et cris féminins – c'est du jazz, elle le pressent, mais pas de ce jazz de fête de charité qu'elle aime, celui de La Nouvelle-Orléans. Là, ces cris de femmes, ces onomatopées activent en elle une trace sensuelle contre laquelle elle ne parvient pas à lutter. Heureusement, cette musique ne dure pas longtemps. Aujourd'hui, la présentatrice, cette Nicole André, maquillée et en jupe assez courte, annonce qu'on va parler cinéma. Les téléspectatrices invitées sur le plateau lui paraissent pimbêches. Pour qui se prennent-elles, celles-là, à dire moi j'aime ceci, moi j'aime cela ? Ensuite, Alphonse Boudard, qu'elle trouve affreux, parle de son livre sur le cinéma, *Cinoche*. Il ne peut pas s'empêcher de parler argot ? Elle repart dans la cuisine pour se verser un autre bol. Lorsqu'elle revient dans le salon, elle croit suffoquer, et moi aussi par conséquence. Là, dans le poste, un homme au visage de bébé irradie en noir et blanc d'une séduction bien plus redoutable que celle de Giscard d'Estaing. À moitié nu, en sueur, derrière une femme, son visage est une sculpture, il y a une plaquette de beurre et... Elle pose son bol sur la table alors que Nicole André réapparaît à l'écran pour demander à ses invitées ce qu'elles pensent de *Dernier Tango à Paris*, sorti en salles il y a deux ans déjà et, bien sûr, d'une scène très osée que l'on ne peut pas montrer intégralement à la télévision, surtout l'après-midi à cause des enfants. C'est donc cela, *Dernier Tango à Paris* avec cette Maria Schneider – une juive, elle en est convaincue – et ce Marlo Brandon... Brando... Marlon Brandon... enfin... le film de ce Bertolucci ! Elle comprend pourquoi l'Office catholique du film a particulièrement déconseillé d'aller le voir. Boudard, Brando, Bertolucci, c'en est trop. Nos cœurs battant, elle éteint le poste de télévision et s'assoit dans un fauteuil où elle tâche de terminer son bol le plus tranquillement possible.

Une fois remis de nos émotions, elle consacre la suite de l'après-midi à repasser les chemises de mon père en écoutant, à la radio, une émission d'histoire dont elle ne rate jamais un épisode. Aujourd'hui, on parle de la bataille de Bouvines, qui vit consacrer la puissance de Philippe Auguste en 1214. On y a reconstitué l'ambiance du combat, les cliquetis des lances et les hennissements des chevaux. Je n'aime pas trop ces sons aigus, et les piques pointues me font penser à des aiguilles à tricoter. Non que je sois *pro life*, comme on dit aujourd'hui. Je suis seulement contre les aiguilles à tricoter. Le fer à repasser en main, elle s'imagine être la Dame de Mathieu de Montmorency. Il revient de la bataille avec les honneurs. Elle lui sert une bonne soupe de céleri betteraves. À quatre heures, elle débranche le fer et se repose un moment dans le fauteuil. Deux mois seulement, cette sensation de chaleur et pas encore au mois d'août.

Le petit dernier

On sonne à la porte dans des éclats de voix. Le petit dernier revient de chez la voisine. Elle le lui a confié toute la journée, elle a un garçon du même âge et les deux s'entendent très bien pour jouer des heures aux billes. Elle va ouvrir.

« Maman ! » s'écrie-t-il en se jetant dans ses jupes.

La voisine lui dit que tout s'est bien passé. Elle la remercie et referme la porte. Toujours ce bonheur ineffable des retrouvailles après l'accident avec l'Enfant-Don-du-Ciel, le miraculé. Est-ce pour cela que Jean-Marc fait montre de témérité en toutes ses activités ? On lui dit qu'avec des filles, elle a été mal habituée, que les garçons c'est casse-cou. C'est vrai, elle l'a bien vu elle-même avec son petit frère Jean-Marc lorsqu'elle le gardait quand sa mère donnait ses cours de piano, mais son petit Jean-Marc à elle, comme immunisé par l'accident, développe des talents de cascadeur : sauts à vélo, sauts périlleux du canapé du salon sur la table, escalades des meubles. En vacances, à la montagne, il est dans son élément. On lui a déjà acheté toute la panoplie de l'alpiniste, taille six ans, afin qu'il s'entraîne sur les rochers de Fontainebleau lors des piques-niques du dimanche. Mais voici que, contrairement à son habitude, Jean-Marc reste silencieux dans ses jupes, sans courir nulle part. Elle l'appelle deux fois. Enfin, il leva la tête.

Le petit dernier

« Tu as un bébé dans ton ventre », déclare-t-il en regardant le poste de télévision éteint.

Le petit m'a repéré. C'est embêtant.

« Quoi, qu'est-ce que tu dis ? Tu vas te taire ! balbutie-t-elle. Va dans ta chambre ! »

Mon frère s'extirpe des jupes, marche lentement vers sa chambre et referme la porte.

« Tu iras au bain tout à l'heure ! » crie-t-elle la voix chancelante, un peu désemparée par la prescience de son petit dernier, mais pas moins que moi.

Mon père rentre à huit heures moins le quart alors qu'elle débarrasse la table de Jean-Marc. Dans son pyjama rouge, il saute au cou paternel comme à l'accoutumée.

« Bonsoir, fils ! dit mon père.

— Maman a un secret ! » claironne mon frère.

Mon père lui caresse la tête.

« Bien sûr, bien sûr ! répond-il machinalement en ôtant son imperméable beige. Tu as passé une bonne journée à l'école ?

— Y'a plus d'école, papa ! C'est les vacances ! Anne-Marie et Cécile sont en colonie de vacances !

— Bien sûr, bien sûr, répond mon père en enfilant ses pantoufles. Je me disais aussi que c'est bien calme.

— Il a joué avec le voisin Pierre toute la journée, crie ma mère de la cuisine dans un bruit de

couvercles de casseroles qui me fait penser que
mon intérêt pour la batterie me vient de là.

— Qu'est-ce qu'il y a de bon, ce soir ? lui
demande-t-il en entrant dans la cuisine.

— Des épinards », répond-elle sans appel.

Il retient une grimace et reste silencieux. Il a
horreur des épinards et elle le sait. Elle règne dans
la cuisine.

Jean-Marc une fois couché, ils font comme
d'habitude lorsqu'ils ne regardent pas la télévision.
Elle la vaisselle, un peu de couture, et lui la lecture
du journal *Le Monde* en fumant sa pipe. Il en étale
les immenses feuilles sur la table du dîner qu'il a
préalablement aidé à débarrasser. Il lit tout, lentement, du cours des matières premières aux recti-
ficatifs dus à des coquilles à cause desquelles les
lecteurs ont pu être induits en erreur. J'aime bien
le bruit des pages, comme de grands papillons lents.
Onze heures arrivent vite, l'heure de se coucher.

Mon père se déshabille rapidement, passe son
pyjama et se glisse dans le lit conjugal. Ma mère
enlève ses bas à varice et éteint la lumière pour ôter
ses vêtements et enfiler sa chemise de nuit. Elle
n'aime pas qu'il la voie nue, même s'il ne la regarde
plus depuis longtemps. De toute façon, elle n'aime
pas être nue. C'est beaucoup trop sexuel. Elle a toujours vu sa mère se baigner vêtue d'une chemise lon-

gue en coton. Elle-même a mis du temps pour accepter de se déshabiller entièrement pour prendre un bain. En général, elle garde au moins une culotte. Elle s'agenouille au pied de sa table de chevet, récite un *Notre père* puis s'allonge dans le lit. Moi, je dors depuis peu. Au plafond, filtrés par les fentes des persiennes, les reflets mouvants des phares des voitures défilant sur la nationale dessinent des figures aléatoires. Elle évite en général de les regarder et ferme tout de suite les yeux pour conserver le bénéfice de sa prière – comme le préconisent les manuels des confesseurs – mais ce soir, quelque chose d'irrépressible l'entraîne vers la contemplation de ces mouvements abstraits. À quoi cela ressemble-t-il ? Des ersatz d'étoiles filantes, des éclats éphémères. Cela ne fait que passer… comme des… elle se sent rougir d'avoir pensé à des avortements de lumières. Ça me réveille soudain. Elle ferme les yeux.

Mon père se rapproche d'elle pour l'embrasser sur la joue avant que de dormir.

« Le docteur Gabriel dit que je suis enceinte de deux mois, murmure-t-elle les yeux fermés.

— Quoi ? murmure-t-il en se redressant dans le lit.

— Je suis enceinte, je dois faire un test sanguin. »

Il soupire, prend sa tête dans ses mains, puis lâche, comme s'il décrivait le symptôme d'un mal incurable.

« Tu vas grossir… les enfants vont s'en apercevoir bientôt ! »

Elle garde le silence. Elle frissonne au souvenir des douleurs insensées de ses deux premiers accouchements. Pas d'anesthésie pour ça. Allez en paix-yeu, entend-elle enfin – la voix du père Brisemur.

Elle rouvre les yeux. Au diable les avortons du plafond ! Elle poursuit d'une voix assurée.

« Ça ne se voit pas pour l'instant. De toute façon cela ne les regarde pas. Est-ce que ma mère l'a claironné sur tous les toits qu'elle attendait mon petit frère Jean-Marc ? Je ne l'ai su que deux mois avant qu'elle accouche. Dans le temps, on ne parlait pas de ces choses-là. Dans le temps, il n'y avait pas tous ces gauchistes et ces psychologues obsédés qui détruisent les familles. »

Mon père se racle la gorge. Des choses incohérentes se bousculent dans sa tête. C'est la faute de Giscard. Il se souvient parfaitement s'être laissé aller ce soir-là, comme pour se venger de son élection et en même temps par fierté de fonctionnaire commandé par un chef séducteur.

« Mais… à ton âge, hasarde-t-il… Le docteur t'a parlé des risques ? Peut-être que… »

Elle brise net ces insinuations qui rappellent l'injonction du docteur Gabriel, définitivement disqualifié.

Le petit dernier

« Ma vie n'est qu'une vie de mortelle, comme les autres vies, et un enfant difforme est aussi une créature de Dieu. Maintenant, bonne nuit. »

Je soupire. Si elle parlait au moins avec ses vrais mots à elle plutôt que ceux du prêtre. C'est pour cette raison que les femmes ont eu le droit de vote si tard dans notre pays. On craignait à raison de le donner à l'Église.

Mon père se rallonge dans le lit. Tous ces filets de lumière qui passent devant ses yeux au plafond, c'est absurde, absurde ! Il fulmine. Maudit Giscard ! Il tente de se raisonner : voyons, ils logent dans un quatre pièces, son seul traitement d'administrateur au ministère des Finances ne suffit pas pour qu'ils soient plus à l'aise et Marie-Thérèse ne travaille pas. Un quatrième enfant à 45 ans... comment dit-on aujourd'hui ? Ah oui ! *trisomique*, enfin, avant, on disait mongolien, débile mental. Comment la convaincre de faire quelque chose ? Où mettre cet enfant ? Dans quelle chambre ? Soudain, comme un apaisement, les traces de lumière cessent de défiler au plafond. Bah ! pense-t-il alors, la nature est bien faite. Il y a quand même des chances pour que cette grossesse s'interrompe d'elle-même. Cette perspective le soulage. Il tourne le dos à ma mère et, en chien de fusil, s'endort rapidement. Moi pas.

4.

D'habitude, pense mon père, jusqu'au 15 août, le panorama est le suivant : la ligne de crête de la chaîne de Rochefauve découpe le ciel en dentelle d'azur. L'air est si pur que l'on voit de très loin voler les choucas. Par très beau temps, la pointe de neiges éternelles du pic des Chèvres émerge à la verticale du col du Petit Galibier, et l'on voit aussi le Grand Galibier. Ensuite, l'imagination vagabonde : du Grand Galibier, on parvient en quatre heures au lac Long, 3 325 mètres d'altitude. C'est ce que l'on appelle une bavante, une marche éprouvante dans la caillasse. C'est pourquoi, là-haut, il n'y a jamais personne et le ciel ne se reflète dans le plan de miroir d'une eau pure qu'en l'honneur des vrais montagnards. Il soupire. Après le 15 août, c'est autre chose. Un plafond nuageux bouche tout, il pleut. On pourrait être en Bretagne l'hiver, ou dans une cité beauceronne composée de clapiers-dortoirs sur les conseils d'un urbaniste-communicant. Par quelque fenêtre que l'on regarde, c'est n'importe où sauf dans les Alpes en été. Jamais il ne relouera au mois d'août.

« Tiens, encore ! » dit ma mère en posant une casserole sur l'égouttoir.

Privé de ses chers sommets, claquemuré au premier étage de ce chalet de location, Giscard tous les soirs au journal télévisé, tout le renvoie à la situation. Elle a grossi. Ça se voit un peu. Mais elle n'est pas mince au naturel. Est-ce vraiment si sûr que cela ? Il se racle la gorge comme à son habitude, toujours en trois fois, selon le rythme syncopé des tourterelles, un raclement court, un long, un court, puis dit d'une voix chancelante :

« C'est vraiment sûr, cette grossesse ?

— Je t'ai déjà dit que j'ai fait le test au mois de juillet, lui répond sèchement ma mère sans quitter des yeux le bac à vaisselle où ses mains nues s'activent à récurer une petite poêle à frire. J'entre dans le quatrième mois. Il y a un problème ? »

Il n'y connaît pas grand-chose en mécanique féminine, mais il a entendu dire que, passé le troisième mois, les chances – enfin, les risques – de fausse couche sont bien moindres. La perspective de l'enfant mongolien – enfin, trisomique – s'installe donc.

« Non, non, tu fais comme tu veux », souffle-t-il.

Elle lui jette un œil furtif, méprisant. Il est ridicule à tortiller ce torchon vichy dans les mains, un vrai laveur de carreaux au chômage.

« Eh bien prends quelque chose dans l'égouttoir, Robert, il y en a encore à essuyer ! »

Choisissant un fait-tout assez lourd, il s'exécute en silence. Peut-être y a-t-il encore des possibilités, pense-t-il. Le programme électoral du président Giscard d'Estaing prévoit la légalisation de l'avortement. Mais si cette loi est votée, il sera certainement trop tard. Le fait-tout s'échappe du torchon et fracasse le sol. Ma mère crie de surprise. Cécile accourt, je me réveille.

« Qu'est-ce que vous faites, les parents, dans la cuisine ?

— Quel ballot je suis ! s'écrie mon père. Ah ! Quel ballot ! Quelque chose est cassé ! Ils vont retenir de l'argent sur la caution. Cécile, va me chercher la pelle et le balai, tu veux bien ? »

Alors qu'il constate avec désolation la destruction de quatre carreaux, le fait-tout ayant percuté une intersection, ma mère chancelle, s'appuie sur le bord de l'évier.

« Cela ne va pas, maman ? demande Cécile en tendant la pelle et le balai à son père.

Le petit dernier

— Cela ne va pas, Marie-Thérèse ? répète mon père en plaçant les débris dans la pelle.

— Ça va aller, ça va aller, dit-elle. Je vais m'asseoir. J'ai les jambes très lourdes. Cécile, donne-moi une chaise. »

Ma mère place la chaise à côté de l'évier et nous assoit dessus. Toute cette mousse sous son nez, toutes ces bulles dans l'eau sale. Et là-dessous, qui trempe, une dernière pièce à sortir.

Cécile regarde les mains maternelles mouillées, gercées. Des mains de vaisselle.

« Qu'est-ce que tu regardes comme ça ?

— Tes mains…

— Qu'est-ce qu'elles ont, mes mains ?

— Elles sont belles… »

Ma mère hausse les épaules.

« Belles, ça ne veut rien dire du tout !

— Si ! » affirme Cécile.

Mais on se relève. En finir avec cette chose sous les bulles, pense-t-elle, et je comprends bien qu'elle pense à moi à travers ça. Elle vacille de nouveau.

« Rassieds-toi, maman », dit Cécile.

Elle se rassoit pendant que mon père dépose les débris de carrelage dans une page *Sports* du *Monde* qu'il plie ensuite en quatre et place précaution-neusement dans la poubelle. Le sport ne l'intéresse pas.

« Anne-Marie ! aboie ma mère malgré sa faiblesse. Viens finir la vaisselle ! » Puis elle gémit et s'évanouit – je respire un peu.

« Papa, maman tombe, viens m'aider ! » crie Cécile.

Cécile soutient la tête de notre mère affaissée sur la chaise. Mon père pose la pelle à côté de la poubelle et vient l'aider à pas lents.

« Anne-Marie ! crie-t-il. Ta mère se sent mal, viens nous aider à la transporter !

— Qu'est-ce qu'elle vient faire chier encore ? répond Anne-Marie en accourant.

— Elle s'est évanouie, dit Cécile. Ne parle pas comme ça de maman. »

Ils nous portent jusqu'à un grand fauteuil paillé dans le séjour. Mon père lui donne des tapes timides sur les joues, sans résultat.

« J'ai une idée », dit Anne-Marie en filant vers la cuisine. Elle ramène un pot de poivre moulu. « On va lui faire respirer ça. »

Je frémis. Ça va tanguer, c'est sûr.

« Tu es sûre ? demande mon père.

— Mais oui, papa, tu vas voir. »

Elle passe le pot ouvert sous le nez maternel, qui éternue aussitôt dans un souffle tonitruant à me décrocher de la face Nord de son utérus.

« Ah ! crie-t-elle. Qu'est-ce qui se passe ? Où est Jean-Marc ? »

54

Le petit dernier

Le petit dernier, occupé à jouer avec ses voitures près de la porte-fenêtre, ne relève pas même la tête.

« C'est normal, tu as un bébé dans ton ventre », dit-il tranquillement.

Le voilà qui remet ça.

« Tais-toi ! crie-t-elle.

— Quoi ? » s'écrie Cécile.

Anne-Marie ricane nerveusement.

« Votre mère est fatiguée, en ce moment, laissez-la se reposer, dit mon père. Viens t'allonger, Marie-Thérèse. » Elle se lève et il nous accompagne en lui tenant le bras.

« Enceinte, tu parles, marmonne Anne-Marie en regardant nos parents s'éloigner vers leur chambre. À son âge, on ne peut plus être enceinte…

— On ne sait jamais, dit Cécile. Pourquoi as-tu dit que maman a un bébé dans son ventre, Jean-Marc ?

— Elle est trop grosse, c'est tout. Avec tout ce qu'elle bouffe et le café par-dessus le marché, ça lui fait des vapeurs, continue Anne-Marie. Jean-Marc, mutique, reste absorbé dans le dépassement d'une Ferrari à main gauche par une Alpine Renault à main droite.

— Je vais finir la vaisselle, déclare Cécile doucement. Il faut aider maman. »

Anne-Marie hausse les épaules et regagne la chambre où elles dorment toutes les deux avec leur petit frère, face à la chambre de leurs parents dont la porte est close.

« Il va falloir leur dire, murmure ma mère une fois allongée sur le lit alors que je me rendors. Jean-Marc sait. Je ne sais pas comment, mais il sait. De toute façon je vais grossir. Ça se verra dans quinze jours. On va leur dire en rentrant.

— Tu fais comme tu veux, lui répond mon père en cherchant son journal. Ça va aller comme ça ? »

Il sort de la chambre sans attendre de réponse, retourne au séjour et se poste devant la porte-fenêtre. Dehors, la pluie s'installe. Un plafond bas, vraiment très bas, cache ses chers sommets. Jamais il ne relouera au mois d'août.

Je me réveille à cause d'un bruit bizarre, un grincement horripilant. Jean-Marc a filé dans la cuisine pour faire circuler ses voitures dans le vide laissé par les carreaux cassés. Je l'entends faire crisser ses pneus dans ce creux – ça l'exalte.

*

Une semaine après la rentrée des classes, un vendredi soir avant le repas, ma mère convoque toute la famille dans le salon.

« Votre père et moi avons quelque chose à vous dire. N'est-ce pas, Robert ? »

Mon père se racle la gorge trois fois, puis annonce :

« Eh bien… votre mère attend un bébé… voilà !

— Un bébé ! un bébé ! crie Jean-Marc en dansant ! Hein que j'avais raison ? Hein maman ? » Et il se blottit contre le ventre déjà rond.

La joie de son petit Jean-Marc la transfigure soudain. Elle irradie de sa beauté de jeune fille, ressent de nouveau la lourde masse des cheveux noirs de jais qu'elle a coupés depuis longtemps, la fraîcheur d'un sourire aux lèvres pulpeuses, la vie dans ses yeux vert sombre et la douceur de pêche de sa peau un peu cuivrée. Cécile se précipite pour l'embrasser.

« Maman, c'est formidable ! C'est un miracle ! »

Anne-Marie, qui a été punie l'heure d'avant pour avoir mis *Sheila* trop fort, reste silencieuse – mais un élan plus fort qu'elle lui commande d'embrasser aussi sa mère. Elle a l'air si heureuse, c'est si rare.

« C'est pour quand ? demande Cécile.

— Février. Enfin… c'est Dieu qui décide », répond-elle.

Mon père sourit en regardant ce tableau de famille, les trois enfants agglutinés sur leur mère. Soudain, il pense qu'elle peut mourir en couches et leur laisser le mongolien – enfin, le trisomique –

vivant. Perspective pire que la montagne au mois
d'août. Il se racle de nouveau la gorge trois fois.

« On va prendre un petit apéritif, quand même !
conclut-il. Où est le jus d'orange, Marie-Thérèse ?

— Dans le frigidaire, tu le sais bien, Robert ! »

Et du ton de sa réponse, sa beauté la quitte
soudainement.

*

Fin novembre, un midi, alors que Jean-Marc
joue au Meccano dans sa chambre, on allume la
radio pour écouter les actualités pendant que le café
filtre tranquillement. Elle l'a juré au docteur : un
bol par jour seulement, et tâche de s'en tenir à deux.
Du coup, je me sens un peu mieux. Une voix de
femme parle dans le poste, avec calme et autorité.

*… c'est aussi avec la plus grande conviction que
je défendrai un projet qui a pour objet de mettre fin
à une situation de désordre et d'injustice et d'apporter
une solution mesurée et humaine à un des problèmes
les plus difficiles de notre temps…*

Elle se verse son bol et s'assoit. Elle s'aperçoit
que la dernière fois qu'elle a écouté la radio
comme ça, presque hypnotisée, c'était en juin 40,

l'appel du Général. Ils étaient tous réunis dans la cuisine, Mamie, sa sœur Anne et son petit frère Jean-Marc, et ils avaient bu la voix du poste. Aujourd'hui, l'affaire a l'air d'importance. Pourquoi Robert, qui lit tous les jours le journal, ne lui a-il pas dit qu'il se passe quelque chose ?

… Pourquoi risquer d'aggraver un mouvement de dénatalité dangereusement amorcé au lieu de promouvoir une politique familiale généreuse et constructive qui permette à toutes les mères de mettre au monde et d'élever les enfants qu'elles ont conçus ?

Aggraver un mouvement de dénatalité ? Comment ? Elle se reverse un nouveau bol de café. Elle trouve cette femme extraordinaire, mais ne comprend pas très bien ce qu'elle veut dire.

Nous sommes arrivés à un point où, en ce domaine, les pouvoirs publics ne peuvent plus éluder leurs responsabilités. Et la plupart d'entre vous le sentent, qui savent qu'on ne peut empêcher les avortements clandestins et qu'on ne peut non plus appliquer la loi pénale à toutes les femmes qui seraient passibles de ses rigueurs.

Oui, opine ma mère, on ne peut pas empêcher cela. Mais c'est péché quand même. La femme poursuit, très déterminée.

Le petit dernier

... si des médecins, si des personnels sociaux, si même la femme décidée à interrompre sa grossesse est rejetée dans la solitude et l'angoisse d'un acte perpétré dans les pires conditions, qui risque de la laisser mutilée à jamais. La même femme, si elle a de l'argent et sait s'informer, se rendra dans un pays voisin ou même en France dans certaines cliniques et pourra, sans encourir aucun risque ni aucune pénalité, mettre fin à sa grossesse. Et ces femmes sont trois cent mille chaque année.

Ma mère s'emballe soudain, ça remue de partout. C'est donc ça ! C'est donc elle ! L'avorteuse ! Le père Brisemur en a parlé le dimanche précédent dans son homélie ! Giscard, ce VGE comme ils disent partout, qui a repoussé le péril socialo-communiste, va autoriser l'avortement ! C'est à n'y rien comprendre. Enfin... ils ne parlent pas comme cela. Ils disent Interruption Volontaire de Grossesse. IVG. VGE, IVG. Les deux acronymes se mêlent dans ses oreilles pour former un absurde IVGE, Interruption Volontaire de Giscard d'Estaing, qui me fait bien rire jaune. Ce Giscard, tout est de sa faute. Je n'ai pas encore vu sa tête, à lui, mais j'ai hâte ! Elle ferme le poste de radio et regarde la pendule. L'heure de ramener Jean-Marc à l'école. On y va.

Le petit dernier

*

« Consonne… Voyelle… et Consonne. »

Anne-Marie, le crayon en main, tente plusieurs combinaisons de lettres, pour arriver à cinq lettres : r,a,t,e,r : rater. En fait, elle préfère regarder le présentateur, ce Patrice Laffont avec ses cheveux mi-longs. En couleur, il est très bien, la couleur change tout, Cécile a eu raison d'insister auprès des parents. Elle a obtenu, sur l'intervention de ses professeurs de français et de mathématiques, de regarder tous les jours l'émission *Des Chiffres et des Lettres* afin de développer le calcul mental et le vocabulaire.

« C'est terminé. Patrick ?

— Sept lettres.

— Michel ?

— Pas mieux.

— Alors, Patrick ?

— Avorter, à l'infinitif.

— Max Favalelli ?

— Oui, pas mieux. Pas moins mal, on va dire faute de mieux. En plus, c'est d'actualité.

— Voilà. La loi Veil. Donc, sept points pour Patrick. Les chiffres maintenant…

— La loi Veil, c'est quoi ? » demande Cécile, qui regarde le jeu de loin.

Anne-Marie fait un bruit de bouche, puis sourit.

« Demande à maman.

— Elle se repose dans la chambre. Elle est très fatiguée, tu sais, elle est dans le neuvième mois…

— Mouais, répond Anne-Marie. Tu veux que je te dise ? Tu as tes règles, toi aussi, elle t'a expliqué, maman ? »

Cécile regarde par terre, un peu effarée.

« Expliqué… expliqué… oui, j'ai du sang qui coule, et…

— La loi Veil, c'est l'autorisation d'avorter.

— Avorter ?

— Tuer le bébé dans le ventre. Enfin, ce n'est pas encore un bébé. Ce n'est qu'un fœtus. »

Cécile fait la grimace. Le père Brisemur en a parlé. C'est péché.

Peu de temps après, on a perdu les eaux. Confiant, j'ai suivi le flot, toujours tout droit après le passage du col de l'utérus, même si, après-coup, il est certain que ma mère a plus expulsé un machin encombrant qu'un bébé, m'assignant la place peu enviable d'un détritus. Mais Freud dit que l'on est tous logés à la même enseigne, qu'il faut bien comprendre que, pour l'éternelle petite fille présente dans la femme, la réalité de la mince paroi qui sépare les deux conduits n'est pas tou-

Le petit dernier

jours stable et que, surtout, la précocité historique de la défécation sur l'accouchement est un facteur qui peut créer une habitude mentale, comme pour les hommes le fait que l'urine précède temporellement le sperme dans le pénis – mais revenons à ma sortie.

5.

Anne-Marie et Cécile courent vers la chambre 112, le numéro qu'on leur a donné à l'accueil de la maternité. La ritournelle « Le bébé d'maman ! Le bébé d'maman ! » tourne dans leur tête comme un fauve en cage, et cette excitation a même chassé l'animosité habituelle de ma plus grande sœur. Aujourd'hui, pour elle, c'est comme lors de la naissance de Jean-Marc. Sept ans déjà. Elles l'avaient vu les premières, bien avant leur mère, encore dans le coma. On ne peut pas dire qu'elles s'en souviennent comme si c'était hier, non, c'est aujourd'hui même, le temps s'est arrêté là – et là, Jean-Marc, électrisé par l'excitation de nos sœurs, court devant elles. Aujourd'hui, elles sont bien plus grandes, adolescentes dit ma mère avec une moue de dégoût, car les hommes les regardent autrement dans la rue.

Mon père gare la voiture. Lui m'a déjà vu. Puisque je n'ai pas l'air mongolien – enfin, trisomique – sauf les grandes oreilles, il trouve que plus rien ne presse et il les a laissées monter toutes seules avec le petit dernier. En mon honneur, Anne-Marie s'est fardé les paupières de mauve pâle. Je vois bien que pour Jean-Marc, la situation n'évoque rien de particulier. Maman lui est entiè-rement dévouée et « le bébé d'maman ! » une for-mule dénuée de sens qu'il entend répéter par nos sœurs depuis le matin. Bien sûr, elle avait un bébé dans son ventre, et c'est même lui qui l'a deviné le premier, mais il est sorti maintenant, elle rede-vient sa maman normale, avec un ventre sur lequel il va pouvoir se blottir sans qu'on lui dise de faire attention. Il pense qu'on va juste voir le bébé ce matin, après papa ramène maman à la maison, l'hôpital garde le bébé et on n'en parle plus, c'est ça qu'il pense, ça se voit comme le signe de Caïn au milieu du front.

Jean-Marc court trop loin dans le couloir. Devant la chambre 112, nos sœurs le rappellent. Mes vagissements filtrent de la porte entrouverte. Anne-Marie la pousse et ils entrent tous les trois. Jean-Marc reste au seuil et grimace tout de suite : dans les bras de sa man-man hurle une larve toute rouge avec de grandes oreilles et des poils noirs sur la tête. Je suis déjà son cauchemar.

« Eh bien, Jean-Marc, ne fais pas cette tête ! C'est ton petit frère ! Le petit dernier ! Il est encore

tout pitipiti ! Tu étais comme ça à son âge »,
lance-t-elle.

Il est pétrifié, je le vois bien, avec ses genoux
cagneux et ses lunettes cerclées. Le petit dernier…
ça ne va pas du tout… C'est lui, le petit dernier,
pas cette chose rouge collée à maman !

« Viens le voir ! » poursuit notre mère.

Il trouve que la chose hurle beaucoup, bien plus
fort qu'à la récréation lui et ses copains ne peuvent
le faire, et qu'elle sent le caca à distance. Il avance
précautionneusement. Nos deux sœurs entourent
notre mère et me regardent de très près. Les yeux
fermés, trop rouge, trop plissé, trop baveux, je ne
ressemble à personne encore.

« Le bébé de maman », chuchote Cécile dans un
demi-sourire. Maman triomphe, pense Anne-
Marie. Jean-Marc reste interdit, planté comme un
piquet devant la scène : quoi, ses sœurs aussi sont
collées à cette chose qui crie ? Pourquoi maman
lui a fait ça ? Lui, ne lui suffit pas ? C'est lui le
petit dernier à sa man-man. Les larmes lui montent aux yeux, une boule se noue dans sa gorge.
Dans sa tête, un cantique de Noël résonne soudain : *Il est né le divin enfant, sonnez hautbois réson-
nez musettes.* Atroce. J'en hurle pour lui.

« Qu'est-ce que c'est que ça ? dit sèchement
maman en remarquant les paupières colorées

d'Anne-Marie. Enlève-moi ça tout de suite, ça fait putain. »

Anne-Marie manque de répondre, mais préfère serrer les mâchoires en la circonstance. Je hurle de plus belle et cacate de plus fort. Anne-Marie me regarde soudain autrement, comme si j'exprimais son mécontentement à elle, prenais sa défense, elle qui s'est faite belle pour ma venue. Je lui plais, c'est sûr. Je lui plais trop. Elle est vraiment pas mal, avec son maquillage. Du chien, vraiment sexy – je n'irai pas jusqu'à dire « putain », mais presque. Elle passe dans la salle de bains attenante. Cécile sourit béatement. Elle faufile un doigt dans ma petite main droite, qui se referme comme une pince de crabe. Peu à peu, je me calme, fais semblant de m'endormir. Maman me pose dans le berceau.

« Comment s'appelle-t-il ? demande Cécile.

— Jeanmajeanpaul, dit maman.

— Jeanmajeanpaul ? C'est un prénom ? s'exclame Cécile.

— Mais non ! Jean-Paul ! rétorque maman.

— Tu as dit "Jeanmajeanpaul", fait remarquer Anne-Marie en sortant de la salle de bains. Moi aussi j'ai entendu…

— Tu ne vas recommencer ! Il s'appelle Jeanma… Jean-Paul ! Qu'est-ce que vous me faites dire ! Il s'appelle Jean-Paul, un point c'est tout ! »

Je trouve que ça promet. Mes deux sœurs haussent les épaules. Les médecins l'ont privée de son café lors de l'admission à la maternité. Dans ces moments-là, elles savent qu'il ne faut pas en rajouter.

Elles sortent de la chambre. La voix de notre mère les rattrape.

« Vous pourriez rester un peu, c'est votre petit frère, quand même ! Ce n'est pas très chrétien !

— On va voir si papa arrive », répond Cécile alors qu'Anne-Marie pousse un soupir de lassitude.

Mon père, du fond du couloir, arrive à pas lents. Voyant les filles devant la porte, il les apostrophe.

« J'ai enfin réussi à me garer. Ils pourraient mettre plus de places, tout de même, une maternité. Il doit bien y avoir cinquante salariés, disons qu'un tiers d'entre eux vient en voiture, une centaine de lits, donc on va dire trente visites en voiture, ça fait bien cinquante places déjà... Il ne fallait pas m'attendre ! Vous n'êtes pas rentrées voir le petit dernier ?

— Si, on l'a vu », répondent-elles en chœur.

Il entre dans la chambre.

« Tu as besoin de quelque chose, Marie-Thérèse ? » demande-t-il.

Comme sa mollesse m'énerve, j'en profite pour hurler.

« Tu l'as réveillé ! répond-elle excédée.

— Où est Jean-Marc ? demande-t-il comme s'il ne s'était rien passé.

— Avec les filles, Robert, voyons ! »

Au seuil de la chambre, mes sœurs le cherchent des yeux. Il n'est pas dans la chambre. Anne-Marie va vérifier dans la salle de bains. Personne.

« Il doit être quelque part dans le couloir, dit Cécile.

— Quelque part dans le couloir ! grince ma mère en couvrant mes vagissements. Vous la voulez la baffe ? Allez le récupérer ! Un gosse de sept ans tout seul dans un hôpital ! »

Et les voilà parties en courant à la recherche de Jean-Marc.

« Au moins, avec le bébé, elle va être occupée et arrêter de nous faire chier, glisse Anne-Marie.

— Ne parle pas comme ça de maman, dit Cécile. Je te le dirai tout le temps. C'est maman, tout de même. Où peut-il être ? »

Anne-Marie soupire.

« Il doit être aux toilettes. Il est souvent aux toilettes, tu le sais bien. »

Des sons aigus provenant des sanitaires de l'étage confirment son intuition. Elles s'y dirigent et ouvrent une porte sur une lumière blafarde de néons. Une plainte couinante monte de sous un lavabo, comme provenant du siphon. Elles s'accroupissent et découvrent, tout ratatiné, mon grand frère sanglotant.

« Qu'est-ce qui se passe, grand garçon Jean-Marc ? dit Anne-Marie.

— Pleurer comme ça ! Sept ans, l'âge de raison ! » rajoute Cécile.

Elles l'extirpent de dessous le lavabo et lui passent de l'eau froide sur le visage. Il se calme peu à peu en regardant les visages de ses grandes sœurs, reste un moment à les contempler. Elles sont bien là, tout entières, pour lui. Comme elles sont belles et gentilles ! L'air du *divin enfant*, qui n'a cessé de jouer dans sa tête dans un affreux sentiment d'abandon, s'estompe soudain.

« Maman s'inquiète ! Je vais lui dire que l'on t'a retrouvé », dit Cécile.

Elle court vers la chambre.

« Pourquoi tu n'as plus le violet sur les yeux ? demande Jean-Marc à Anne-Marie.

— Tu veux que je le remette pour toi ? »

Il hoche la tête.

« Mais ensuite je l'enlèverai parce que maman ne veut pas, elle trouve que ça fait putain.

— Qu'est-ce que c'est, putain ? »

Elle sourit, préfère ne pas expliquer, se refarde les paupières puis lui montre.

« C'est beau, putain ! constate-t-il. Pourquoi maman ne veut pas ? »

Anne-Marie se regarde une dernière fois dans le miroir des sanitaires. Sexy. C'est ça, sexy. Sexy comme Brigitte Bardot, mais les cheveux châtains. Cécile est plus jolie – blonde aux yeux bleus – mais moins sexy. Et c'est pour ça que l'autre grenouille de bénitier droguée ne veut pas qu'elle se maquille. Elle hait le sexy. Bah ! ça ne durera plus très longtemps. Elle va bientôt rencontrer un vrai homme, c'est sûr, quelqu'un comme Patrice Laffont, des *Chiffres et des Lettres*. Elle hausse les épaules et se démaquille sous les yeux avides de Jean-Marc. En terminant, elle claque la langue dans sa bouche, comme le kangourou Skippy dans *Skippy le kangourou*, une série animalière que je verrai plus tard à la télévision et que je confondrai systématiquement avec *Daktari*, ce qui n'a pas été sans conséquence avec Barbara, une copine de fac qui faisait le même bruit avec la langue et ressemblait à la copine du Docteur Daktari.

« Tu sais, c'est moi le petit dernier de maman, lui dit Jean-Marc résolument.

— Arrête de dire des bêtises, le sermonne-t-elle en ouvrant la porte des sanitaires, il y a le bébé, maintenant. »

Jean-Marc sort en courant.

Le petit dernier

« Non, c'est moi le petit dernier ! » crie-t-il dans le couloir pour que j'entende bien.

*

Quelques jours après, alors que je hurle depuis mon entrée dans l'église, le père Brisemur pose sa main sur ma tête et prononce les paroles sacrées : « Demandons à Dieu-yeu de protéger cet enfant de tout mal-yeu. Du mal qui pourrait-yeu lui arriver, et du mal qu'il pourrait faire-yeu. Jean-Paul, je te baptise au nom du Père, du Fils et du Saint-Esprit-yeu. ». Sur ces derniers mots, il verse l'eau bénite sur mon petit front, faisant redoubler mes braillements. Ma mère sourit. Comme lors du baptême de Jean-Marc, elle ressent la présence de Dieu en elle par cette chair de sa chair élevée au rang de la divinité et sauvée de tout péché par la seule grâce du sacrement. Jean-Marc avait pleuré aussi, et elle voit qu'il est si sage maintenant, à regarder son petit frère rentrer dans la vraie foi. Elle l'entend chantonner sans paroles *Il est né le divin enfant*, et cette marque d'affection particulière l'émeut, fait renaître le souvenir du baptême de son petit frère Jean-Marc, il avait pleuré lui aussi en 1940, elle le tenait elle-même sur les fonts baptismaux, oui, comme son amie Marie-Dominique tient devant elle le bébé, elle avait tenu Jean-Marc devant sa mère encore endeuillée, tout en noir, papa était mort six mois avant, son papa – des larmes lui montent aux yeux, elle tire un mouchoir de sa poche et s'essuie les joues, tente de se contenir, c'est comme ça, perdre son papa à neuf ans, mais heureusement le père Leguet, le curé de la paroisse de Saint-Ambroise, les a soutenus, il a baptisé Jean-Marc, et elle aussi a son Jean-Marc, là, sorti des tôles de l'accident et qui chantonne maintenant à la gloire du Divin Enfant, tout vivant, tout gentil – décidément, tous les Jean-Marc pleurent pendant leur baptême – et moi, Jeanmajeanpaul, pardon, Jean-Paul, je hurle déjà de toute cette confusion.

6.

Madame, Monsieur,

les faits suivants ont été portés à l'attention du syndic par de nombreux occupants de votre bâtiment, tant copropriétaires que locataires : hurlements nocturnes suraigus intervenant toutes les nuits depuis le 22 février dernier, soit depuis un mois. Par ailleurs, on se plaint également que la musique soit trop souvent trop forte, notamment des chansons obscènes ou à connotation anticléricale. Vous aurez l'obligeance de bien vouloir faire cesser ce trouble en infraction avec les dispositions du règlement de copropriété, les lois sur le tapage nocturne et la moralité, faute de quoi le syndic engagera les poursuites judiciaires appropriées.

Ma mère retourne la lettre sur la table de la cuisine et se verse un nouveau bol de café, qu'elle sucre abondamment. Pourquoi se priver ? Elle a vingt kilos à perdre et sait très bien qu'ils resteront. De toute façon, si la masse corporelle augmente, la dose de caféine ne se trouve-t-elle pas d'autant plus diluée ? Un mois déjà. Personne ne peut plus dormir tranquillement dans l'immeuble, et alors ? Les architectes n'avaient qu'à mieux insonoriser les parois, les plafonds, les planchers. Le bébé dort peut-être depuis un moment, elle ne sait plus, elle en a marre. Elle regarde la pendule jaune : Quatre heures de l'après-midi. Pendant la journée, il dort par tranches de quatre heures. La nuit, non. La nuit, il est pire que ne l'a été Anne-Marie bébé. Celle-là, elle ne perd rien pour attendre. Ça sera la confiscation du tourne-disque et des disques, c'est tout.

Elle entre dans la chambre où j'hurle au biberon comme un naufragé à la bouée. Le berceau est installé près de la penderie, de son côté à elle. La nuit, mon père ne se lève jamais. Il ne sait pas non plus préparer les biberons, ne veut pas le savoir. Elle me prend dans ses bras. Jean-Marc, pense-t-elle en souriant. Jean-Marc était comme ça quand elle l'avait eu de l'accident. Un mois. On le lui a donné à un mois. Je ne parviens pas à me calmer, évidemment. Oui, je vais te le donner ton biberon, me dit-elle. Elle me repose dans le berceau, j'hurle de plus belle. À la cuisine, elle prend un biberon en verre dans le stérilisateur, y mélange le lait en poudre et l'eau minérale, et le fait chauffer au bain-marie. Au moins, maintenant qu'elle y repense, elle n'a pas trop souffert pendant l'accouchement. Le bébé s'est bien présenté, comme s'il était pressé de sortir, d'en finir, cela n'a pas duré trop longtemps. Rien à voir avec Anne-Marie et Cécile. Pour Jean-Marc, elle n'a senti que le désagrément des cicatrices de la césarienne au milieu des multiples fractures. Elle a retrouvé et ressorti tout le matériel utilisé pour lui. Elle n'est pas parvenue à s'en séparer alors qu'il grandissait : stérilisateur, biberons, bavoirs. Il a fallu quand même changer les tétines. Celles de 1968 ont séché comme ces champignons noirs chinois lyophilisés. Elle a bien gardé aussi des boîtes de couches de cette année-là, m'en a essayé une, mais les pattes ne collent plus. Elle vérifie la température du biberon avec un thermomètre stérile qu'elle plonge dans le lait, visse la tétine sur sa bague et retourne dans la chambre. Voilà, voilà ! crie-t-elle.

Je m'apaise vite en siphonnant le lait. Elle remet ça, se souvient que Jean-Marc avait été un bébé modèle. On le lui avait dit à l'hôpital : « Ne vous inquiétez pas, il vous attend sagement. » Et c'était vrai : lorsqu'une fois déplâtrée elle avait enfin pu se consacrer à lui, ce fut comme si elle s'était toujours occupée de lui. Elle n'en démord pas, c'est ça, le lien indéfectible entre une mère et son enfant. Comme elle l'avait fait avec son petit frère Jean-Marc quand sa mère avait été malade. Elle avait dix ans, les Allemands venaient de rentrer dans Paris et elle s'en était très bien occupée. Je repousse soudain le biberon avec ma langue et pleure, manière de lui dire que ce qu'elle prend pour de l'instinct maternel sur son petit dernier est la répétition d'une scène passée avec son petit frère. Elle pense que ce doit être la digestion, tente de me faire faire mon rot, alors je vomis tout. Elle fulmine et me repose dans le berceau. De toute façon, c'est l'heure d'aller chercher Jean-Marc à l'école. Elle se prépare, m'habille alors que je crie toujours, et descend les trois étages avec moi dans les bras pour me placer dans le landau resté près des boîtes aux lettres. Elle pense que ça me calmera de rouler un peu. Sur le chemin, elle fredonne *Jésus revient parmi les siens*. C'est ça qui me calme. Pas Jésus, mais le fait qu'elle soit heureuse, aérienne, légère – ça me ferait pareil si elle chantait *Annie aime les sucettes à l'anis* avec le même bonheur.

« Pitit Jean-Marc ! » dit ma mère en tendant les bras. « Maman ! » répond Jean-Marc en se jetant sur elle. Depuis ma naissance, à cause de mes siestes, Jean-Marc doit manger à la cantine. Leur rituel du midi s'est déplacé à la sortie des classes. Il en est rasséréné, je le sens. Rien ne changera vraiment. Il sait bien qui est le vrai petit dernier, et il n'a pas tort, l'animal. Il jette un œil dans le landau. Il dort, dit notre mère. Il me trouve de moins en moins rouge et de plus en plus laid : un paillasson tout noir sur la tête, des oreilles immenses, de vraies feuilles de chou. Ce doit vouloir dire ça, « prématurément ». Il se souvient qu'ils en ont parlé à la maternité. Ils redoutaient que le bébé naisse « prématurément ». On le lui a caché, à lui, Jean-Marc, mais le bébé est bien né comme ça, ça se voit comme le nez au milieu de la figure. Cet air de Noël lui revient qui l'a fait pleurer : *Il est né le divin enfant.* Il le chante dans sa tête. *Il est né... pré-ma-tu-ré-ment.* Ah ah ! c'est drôle, ça ! Ce ne sont pas les bonnes paroles, mais c'est drôle. Et la suite ? Il n'y en a pas... si ! Oh ! Cette suite, il va la chanter dans sa tête aussi ! Il masque un sourire démoniaque. *Il est né pré-ma-tu-ré-ment / Nom de Dieu quelle sale gueule il s'paye !* Oh ! c'est interdit, ça ! Interdit de chanter ça ! Il rit à gorge déployée. Je préfère rester endormi, j'en capte assez comme ça.

« Jean-Marc, prends ton goûter », dit notre mère en lui tendant trois petits gâteaux. Elle aime bien quand il rit. Ça lui rappelle quand elle emmenait son petit frère à l'école. Bien sûr, c'était la guerre.

Mais il était si mignon ! À faire oublier l'Occupation, les Allemands. La Gestapo surtout.

*

Anne-Marie se rapproche du berceau à pas menus. Endormi à petits poings fermés, la tête tournée vers le ciel, mes deux grandes oreilles posées sur l'oreiller de chaque côté de mes tempes, je la sens venir. Trop mignon, pense-t-elle, un vrai Dumbo. Elle avance la main pour caresser mes cheveux noirs. Je soupire soudain, un soupir d'adulte comme je sais faire, ce qui la décontenance, puis je lui montre deux petites lucioles luisantes derrière des paupières fripées. Je lui fais de l'œil. Tu veux que je te prenne dans les bras ? me demande-t-elle sur un ton de voix chantant qui l'étonne elle-même. Et, comme je remue les lèvres en signe d'assentiment, elle me sort précautionneusement du berceau et me cale dans le creux de son bras gauche. Tu aimes bien le bras ? J'émets quelques gazouillis. Elle me berce en chantonnant. Une douce plénitude se diffuse dans tout son corps à mesure qu'elle oscille avec moi bien lové contre ses seins dont elle sent les pointes durcir. Je tourne un instant la tête contre sa poitrine, comme en recherche de mamelle, puis renonce et

79

lui souris de toute ma bouche rose. Alors elle s'assoit sur le lit des parents et ferme les yeux. Plus rien ne compte que ma courte respiration de morceau de vie tout chaud contre elle, presque en elle, palpitant doucement. Je l'entraîne, elle se sent fondre. Le temps s'abolit. Toute flottante dans une vague de bonheur, elle entend son nom. Sa sœur ? Cécile l'appelle ? Elle rouvre les yeux. Je me suis rendormi. Elle me dépose doucement dans le berceau sans me réveiller.

« Anne-Marie ! ça a commencé ! »

Cécile l'appelle pourquoi ? Ah, oui, *Des Chiffres et des Lettres*. Patrice Laffont. Elle me regarde endormi. Comme j'ai l'air heureux.

*

« Consonne… et Consonne. »

— Tu ne prends plus de crayon ? lui demande Cécile.

— Non, je fais ça de tête, maintenant, répond-elle tout en se demandant quelle peut être la musculature abdominale de ce Patrice Laffont au petit air narquois. À quoi pense-t-il pendant que les candidats suent sur leurs feuilles à trouver des mots. S'il porte plutôt un slip ou un caleçon – ou nu sous la table.

« C'est terminé. Mireille ?

— Six lettres.

— Georges ?

— Neuf lettres.

— On vous écoute ?

— Menuisier.

— Max Favalelli ?

— Bravo, Georges, je n'y avais pas pensé. Menuisier, effectivement. Beau métier ! »

Anne-Marie change de chaîne.

« Hé ! tu as changé de chaîne ! » s'écrie Cécile.

Une grande fille noire toute mince ondoie sur l'écran de la télé couleur. *Aaaaaaah, love to love you ba-by ! Aaaaaaah, love to love you ba-by !* chante la créature en ondulant des bras. De la chambre, ça me réveille d'un coup. J'adore les chanteuses noires, mais ça m'a coûté deux années de psychanalyse en plus.

« Qui est-ce ? demande Cécile un peu effarée.

— Donna Summer, répond Anne-Marie en fixant les bas-ventres des danseurs moulés dans des pantalons blancs.

— Si maman voit ça…

— On s'en fout. Tiens, c'est fini. Voilà Sardou.

— Michel Sardou ? Je l'aime bien », dit Cécile.

On annonce, en incrustation, *Un accident/Michel Sardou*. Des photos d'accident de voiture défilent sur l'écran, illustrées par les imprécations du chanteur.

Je vous en prie, trouvez ma femme / Mais n'appelez pas mes parents / Je ne supporterai pas leurs larmes / Ma mère aurait peur de mon sang

Mes deux sœurs se figent devant la succession de carcasses calcinées, de tôles froissées.

Vous trouverez son téléphone / Tout au fond de la boîte à gants / Et si l'adresse est encore bonne / Dites que j'ai eu un accident

« Arrête ça ! dit Cécile, les larmes aux yeux. Ça me rappelle l'accident de Mamie. Et puis Jean-Marc arrive ! »

Anne-Marie, silencieuse, se lève et ferme la télé avant qu'il ne voie les images effrayantes.

« C'est l'accident ? Il y a du sang ? » demande Jean-Marc.

Cécile soupire.

« Nous n'avons rien eu dans l'accident de 1968 lui répond-elle sur un ton pédagogique. On nous a dit que nous avons été éjectées toutes les deux par une portière ouverte sous la violence du choc et notre vol plané s'est terminé par un atterrissage en douceur sur une butte herbeuse. Mais Mamie est morte dedans.

— Moi je m'en souviens bien, de Mamie ! dit Jean-Marc.

— Tu ne l'as pas connue, ne dis pas de bêtises, tranche Anne-Marie.

— Si, je l'ai connue ! »

Anne-Marie hausse les épaules en silence.

« Mais non, lui dit doucement Cécile. Moi-même, je m'en souviens très peu, j'avais quatre ans dans l'accident, et Anne-Marie... eh bien elle avait ton âge, sept ans et demi ! Alors, tu vois...

— Oui, mais j'y étais, moi j'y étais aussi ! claironne-t-il.

— Tu étais dans le ventre de maman.

— Eh bien, j'étais dans l'accident quand même ! » et il file dans la cuisine alors que notre mère l'appelle pour le repas.

La tête rentrée dans les épaules, les deux filles contemplent silencieusement le poste de télévision éteint. « Vous n'avez rien eu dans l'accident. » Leur mère leur a toujours dit ça. Cécile rompt la glace de l'écran vide.

« Tu t'en souviens bien ?

— Toi, tu ne t'en souviens pas... eh bien, il vaut mieux, répond Anne-Marie d'une voix caverneuse.

— Et de Mamie ? »

Anne-Marie souffle violemment de l'air par les narines.

« Ah oui ! ça je m'en souviens bien ! Pire que maman !

— Il ne faut pas dire ça…

— C'est la vérité ! Plus chiante que maman et encore plus profond dans le bénitier. Tu sais qu'elle n'a pas voulu se remarier quand le père de maman est mort.

— Ah bon ? Pourquoi ?

— Elle disait que ce n'était pas catholique. Elle a préféré élever ses trois enfants toute seule. »

Elle se lève d'un bond.

« Maintenant, je vais voir Jean-Paul. La droguée n'entend même pas qu'il hurle ! »

Cécile pense lui répondre qu'on ne doit pas parler comme cela de maman, de Mamie, mais les paroles restent coincées dans sa gorge. Elle remet *Des Chiffres et des Lettres*. Maintenant, c'est du calcul.

Je hurle à cause de l'accident. Une chose de plus qui ne me plaît pas et qu'ils partagent tous les cinq comme une marque d'identité qui m'exclut. Lorsqu'Anne-Marie entre dans la chambre et s'approche du berceau, elle me dit, sur un ton chantant qui la surprend, que je suis très rouge. Elle me prend dans ses bras.

« Maman ! crie-t-elle. Il a faim.

Le petit dernier

— Ah ! tu y es ! crie ma mère de la cuisine.
Garde-le, je vais te donner le biberon, il est
presque prêt. »

Anne-Marie renifle mes couches, m'allonge sur
la table à langer et fait comme elle a vu faire
maman. Lui reviennent les rares fois où elle a
changé les couches de Jean-Marc. Elle devait avoir
huit ou neuf ans. Avec moi, notre mère la laisse
faire tout le temps. J'aime bien comment elle
m'essuie les fesses. Elle tripote bien mon zizi aussi,
c'est bon.

« Tiens, dit ma mère apparue en un coup de
vent, donne-lui le biberon pendant que tu y es,
je fais manger Jean-Marc à la cuisine. » Elle pose
le biberon sur la table à langer et disparaît.

Anne-Marie attrape le biberon, me prend dans
ses bras et s'assoit sur le lit, comme dans ce
moment de plénitude qu'on a passé ensemble je
ne sais plus quand, hier, demain, aujourd'hui,
moi, le temps se passe de mots. Mon contact
contre sa poitrine le lui rappelle instantanément,
mais elle se raidit soudain à cause de l'accident à
la télévision. Je vois un choc d'autos tamponneuses,
des cris stridents et des tôles froissées comme du
papier en boule, une portière qui s'ouvre, Anne-
Marie vole et s'écrase sur l'herbe de la nuit noire.
Tout cela en une fraction de seconde. Ensuite
leurs cris, leurs pleurs en attendant les secours

devant les trois corps dans la voiture. Ça me fait gémir. Elle me présente mécaniquement la tétine, je la happe goulûment et je siphonne le lait dans un chuintement régulier qui l'apaise elle aussi et lui rappelle comment Giscard d'Estaing parle à la télé. Je vide le biberon en un temps record. Elle se souvient de me faire faire mon rot, quoique maman ne le lui a pas rappelé. Elle me place en déséquilibre contre son épaule gauche, et attend. Je m'exécute. Tu as fait ton rototo ? Tu es content ? dit-elle de ce même ton chantant qu'elle s'est surprise à employer tout à l'heure. Je gazouille en la regardant, et le bonheur ineffable l'envahit de nouveau. Le bonheur d'être mère, pense-t-elle. Elle me garde un instant dans ses bras, puis me repose, déjà rendormi, dans le berceau. Bonne nuit, petit Jean-Paul ! chuchote-t-elle en caressant mes cheveux noirs de jais. Puis, toute émue, elle sort doucement de la chambre et se dirige vers la cuisine à pas lents. Elle, je la tiens.

« Il a tout bu. Il a fait son rot et il dort, dit-elle à notre mère.

— Je ne vais pas y aller s'il dort », conclut maman en tendant un yaourt à Jean-Marc.

7.

Tout tout tout / Vous saurez tout sur le zizi / Le vrai, le faux / Le laid, le beau / Le dur, le mou / Qui a un grand cou / Le gros touffu / Le p'tit joufflu /Le grand ridé / Le mont pelé / Tout tout tout tout / Je vous dirai tout sur le...

Entrant comme une furie dans la chambre des filles, ma mère, le visage métamorphosé en masque de tragédie grecque, arrache le 45 tours du tourne-disque et le brise net entre ses deux mains, comme une hostie satanique, géante, noire, trouée, une chose qui débite des blasphèmes.

« Plus jamais, entends-tu, Anne-Marie ? Plus jamais ! Robert ! » hurle-t-elle.

Anne-Marie, l'air absent, assise sur son lit, regarde par terre. On entend un bruit de chasse d'eau. Moi, je pense que c'est une bonne chanson, le zizi.

« Robert ! » crie de nouveau ma mère. Elle n'a pas rêvé, il est bien rentré du travail comme d'habitude.

Il arrive enfin au seuil de la chambre.

« Qu'est-ce qui se passe ? dit-il d'un ton placide.

— Qu'est-ce qui se passe, qu'est-ce qui se passe ! Ça n'a rien à faire à la maison ! Tiens, voilà ce qui se passe – elle lui fourre dans les mains des morceaux de carton – et je vais te montrer la lettre ! continue-t-elle en se dirigeant vers la cuisine.

— Quelle lettre ? » demande Robert en comprenant que ces fragments d'un visage narquois sont les restes d'une pochette de disque dont il tente de collationner le titre aux multiples déchirures. Le père Pierret ? Un prêtre ? Non, se dit-il, ce ne doit pas être cela car Marie-Thérèse ne déchire pas les pochettes de disques religieux. Anne-Marie claque soudain sa porte, le laissant seul avec ses interrogations. Il frappe, entrouvre et passe la tête.

« Anne-Marie, tu sais bien qu'il ne faut pas contrarier... »

Mais ma mère est déjà revenue.

« Tiens, tiens, tiens ! » le harangue-t-elle en lui tendant la lettre dont elle a pris connaissance la semaine précédente et qu'elle a oublié de lui donner. Il se sent embarrassé des morceaux de carton, les met dans sa poche, prend la lettre et va s'asseoir à la table du séjour, trouvant une place entre les assiettes que Cécile dispose pour le dîner.

« Trois couverts, Cécile, ta sœur est punie », dit ma mère qui l'a suivi.

Mon père lit en fronçant les sourcils. Enfin, il lâche :

« … des poursuites judiciaires appropriées… Mais, comment ça se fait ?

— Comment ça se fait ? grimace ma mère. Ça se fait que ta fille aînée est vicieuse et que cet appartement est trop petit avec quatre mioches !

— Mioches… Anne-Marie et Cécile ne sont plus des mioches, tempère-t-il.

— C'est trop petit ! coupe-t-elle. On ne va pas pouvoir garder le bébé dans notre chambre, et on ne pourra pas le mettre avec Jean-Marc très long-temps. Ils ont trop d'écart d'âge. Quant aux filles… il faut les séparer. Je ne veux pas qu'Anne-Marie déteigne sur Cécile…

— Des teignes ? dit Cécile qui disposait le sel et le poivre sur la table. Je n'ai pas de teignes, maman !

— Tais-toi, je parle à ton père ! Il ne s'agit ni de poux ni de teignes. Encore que… des teignes comme ça, il n'y en a pas deux au monde. Je ne veux pas qu'Anne-Marie t'influence. Elle file un mauvais coton alors que toi, tu n'es pas encore atteinte par… »

Le mot lui manque.

« Par quoi ? demande Cécile.

— Par… par… »

Ma mère, blême, interrompt son balbutiement. Le torrent de nouveau dans sa tête : Marlon Brando, derrière cette juive nue allemande, Schneider, à l'anus plein de beurre, son beurre de cuisine de Normandie à elle. La musique d'*Aujourd'hui Madame*, ces filles en rut, en rut ! La voix mielleuse du père Bluche s'invite dans ce coït infernal – *sexuel* – les aisselles puantes du père Fabien – *sexuel, sexuel* ! le minuscule père Toinet, ce petit *sexuel* Japonais fouettard – *sexuel, sexuel, sexuel* !

« Hein, maman, par quoi ? poursuit Cécile.

— Ça ne va pas, Marie-Thérèse ? Tu ne te sens pas bien ? »

Elle se domine enfin, le flot est passé.

« Par… par les choses de la vie, voilà ! Toi, tu es encore une enfant. Maintenant, porte son repas à ta sœur et passons à table. »

Elle passe ses deux mains sur son front. Effacer. Effacer tout ce *sexuel* et ce *Brando*.

Mon père se lève et range la lettre dans un tiroir.

« Je vais mettre mes pantoufles, dit-il. Est-ce que tu as besoin de quelque chose, Marie-Thérèse ?

— Non, c'est prêt. Il y a de la bonne soupe à la tomate et du gratin dauphinois, répond-elle.

— Au fait, Jean-Marc est couché ? s'inquiète-t-il une fois installé à table.

— Mais non, tu le sais bien ! Il ne dort jamais avant neuf heures moins le quart.

— Bien sûr, bien sûr, dit-il en dépliant sa serviette alors que ma mère sert la soupe. Ta journée s'est bien passée, Cécile ?

— On a eu un contrôle d'histoire et j'ai eu 15 sur 20, répond-elle avec fierté.

— D'histoire ? Quelle période ? demande-t-il entre deux lapements aspirés.

— Les Romains.

— Tiens, c'est intéressant, ça. Vous étudiez les Romains au collège...

— On a les Grecs et les Romains sur toute l'année de 6ᵉ. »

Mon père interrompt ses bruits de succion, et déclare après un temps de réflexion :

« C'est quand même absurde. Ils étudient le monde antique à... quel âge tu as, déjà ?

— Mais, enfin, douze ans, Robert ! tranche ma mère.

— ... voilà, douze ans, et ensuite ils n'en entendent plus parler, alors que c'est fondamental. Donc, puisque tu étudies les Romains, tu sais qui est Dioclétien ? »

Le petit dernier

Cécile regarde dans son assiette. Elle n'a rien à répondre et se retient aussi de pouffer de rire car son père fait d'incroyables *chlurps* en mangeant sa soupe. Même un animal est plus discret.

« Dioclétien, poursuit-il, voyons, mais si ! L'empereur de la fin du IIIe siècle de notre ère, proclamé par ses soldats à la mort de Numérien. Un grand administrateur. On lui doit l'édit de 301 contre la hausse des prix. Il a aussi persécuté les chrétiens…

— Enfin Robert, voyons ! Qu'est-ce que tu racontes à table !

— Mais c'est la vérité ! C'est un empereur important… 15 en histoire romaine et ne pas savoir qui est Dioclétien… »

Cécile sent les larmes lui monter aux yeux. Là-dessus, je crie, bien sûr. Je l'aime un peu, Cécile, pas encore autant que quand elle me léguera son vrai crâne humain de méditation, mais quand même.

« Je vais voir, dit-elle en laissant sa soupe.

— C'est peut-être l'heure du biberon ? hasarde mon père.

— Il l'a eu à huit heures et c'est toutes les quatre heures », dit froidement ma mère.

Cécile revient en courant.

« Je crois qu'il a fait caca…

— Eh bien change-le ! ordonne ma mère en quittant la table. J'en profite pour coucher Jean-Marc. »

En terminant sa soupe, mon père se dit que lui, à douze ans, il savait tous les empereurs romains. Il s'en souvient encore. Il les avait récités à sa mère, et elle avait été contente ! Tiens, il les dira à Cécile quand elle reviendra de changer le bébé. C'est vrai, quoi, il faut quand même éduquer les enfants correctement. Comme cette perspective l'enchante, il se ressert deux louches.

8.

« Regarde papa, il fait une photo !

— Allez, me demande mon père, fais risette…
Ah ! le soleil est en train de tourner, il faut que je
règle de nouveau la cellule. »

Il extirpe la cellule photo électrique de son étui
de cuir, pense que sur la plage, on est toujours au
moins au cinq centième de seconde – l'appareil ne
permet pas plus – mais une luminosité excessive
peut tout gâcher si l'obturation n'est pas vérifiée
une nouvelle fois.

« Dépêche-toi, on ne peut pas le tenir très longtemps comme ça, dit ma mère sur un ton de
déploration.

— Oui, papa, ajoute Cécile, c'est un peu
long… »

Entre elles deux, chaque petite main dans une
grande main, je grimace dans une eau un peu
froide et algueuse de Bretagne Nord.

« Voilà voilà, répond mon père en actionnant la molette de réglage de son Leica. F8, voilà. Alors ne bougeons plus, dit-il en visant de nouveau. Allez, Jean-Paul, risette ! »

Visages illuminés par un bref soleil, mère brune aux yeux verts et fille blonde aux yeux bleus sourient alors que je grimace de plus belle. On entend l'obturateur. Je pleure, maintenant. Je pleure préventivement sur mes notes de restaurant avec les brunes et les blondes pour rien d'autre à la clef qu'une paire de bises. Je pleure mon écartèlement entre les brunes et les blondes.

« Faut pas pleurer comme ça, dit mon père. C'est pour une photo… Tiens, le soleil a encore tourné. C'est fou ce que la luminosité change… il suffit d'un nuage et c'est sous-exposé.

— Prends-le, sors-le de l'eau et va le sécher, ordonne ma mère à Cécile en me confiant à elle. Toi, arrête de lancer du sable ! crie-t-elle ensuite vers Jean-Marc qui file plus loin, un ballon à la main. Robert ! Surveille Jean-Marc ! »

Elle sort de l'eau peu après. Elle n'aime que tremper ses jambes. « L'eau de Bretagne est bonne pour la circulation sanguine, disait Mamie », répète-t-elle. Mon père ne se baigne pas. Il n'aime pas l'eau, ne sait pas bien nager, et la seule perspective de ne jamais pouvoir sécher avec ce climat humide l'en dissuade.

« Tu ne restes pas un peu ? lui crie-t-il près du parasol.

— Tu sais bien que je n'aime pas trop long-temps, voyons, le rabroue-t-elle.

— Tiens, tu es très bien, comme ça, je vais faire une photo, propose alors mon père à Cécile assise sur une banale serviette de salle de bains. En plus, tu es toute seule, ta sœur n'est pas là, c'est plus simple. Ne bouge pas, je règle la lumière…

— Jeanmajeanpaul ! » crie soudain ma mère.

Manquant d'Anne-Marie, sûr de la retrouver dans l'homonymie, je suis parti vers la mer. Une grosse vague m'engloutit dans un fracas, la succion du reflux me maintient sous l'eau.

Mon père pose d'abord précautionneusement son appareil photo et sa cellule sur une serviette, puis se précipite, fouille laborieusement l'eau de ses deux mains, trouve ça froid, horriblement froid, toutes ces algues, quelle plaie cet enfant – il sent un petit mollet, le serre et me ressort hurlant de cinquante centimètres de profondeur.

Je ne suis pas content qu'on m'empêche d'aller vers Anne-Marie.

Mon père me ramène sur le bord et me confie à ma mère.

« Cécile ! Je t'avais dit de le surveiller ! crie-t-elle.

— Mais papa voulait prendre une photo ! proteste ma sœur.

— Idiote ! Pauvre petit ! Quelle idée, aussi, Robert, de prendre des photos tout le temps ! Tu ne l'as pas vu partir vers la mer ? »

Mon père hausse les épaules, un peu penaud. Sans articuler, je lui crie qu'il est fils unique, qu'il a toujours eu sa mère pour lui tout seul, qu'il ne sait pas ce que c'est que la rechercher – mais il n'entend déjà rien.

« J'étais en train de prendre une photo de Cécile... je pensais qu'Anne-Marie le surveillait. Anne-Marie le surveille, d'habitude.

— Mais enfin, Robert, Anne-Marie n'est pas avec nous cet été ! » répond ma mère en haussant les épaules.

Il n'entend rien.

9.

La grande feuille de papier scotchée au mur évo-
querait l'électrocardiogramme d'un grand malade
si la présence de l'inscription « chouka » sous
quatre gribouillis noir ne faisait deviner la figura-
tion d'une ligne de crête. En se rapprochant, trois
petites flèches volontaires légendées « Pique des
Chaivre », « Peti Galibié » et « Gran Galibié »
attestent qu'il s'agit bien là d'une vue des Alpes.
Plus bas, un ovale noir rempli au feutre bleu ciel,
dans lequel baigne la mention « laclon », est posé
à côté de deux personnages, un grand et un petit,
en tenue de randonnée et chaussés d'énormes
godillots. Sous la feuille, suspendus à des patères
en bois, des accessoires d'escalade soigneusement
rangés, pitons, mousquetons, cordelette, baudrier,
confirment la présence d'une passion peu com-
mune chez mon frère alors qu'il vient d'avoir huit
ans. Dans l'angle, côté fenêtre, une table et une

chaise, dominées par une étagère de deux mètres linéaires de bandes dessinées. Par terre, plus loin, deux caisses de jouets : l'une déborde de petites voitures en métal, la deuxième de morceaux de plastique appartenant à diverses structures que l'on devine incomplètes, estropiées par des mélanges successifs. De l'autre côté, une armoire à vêtements en bois massif jouxte le lit sur lequel, assis comme dans un fauteuil, le dos bien calé par deux gros coussins, Jean-Marc est plongé dans un *Astérix*.

« Alors, le petit dernier, ça va ? »

Cécile ne devrait pas lui parler comme ça, mais je n'y peux rien.

Jean-Marc lève les yeux vers la tête blonde qui dépasse de la porte entrouverte de sa chambre.

« Tu lis quoi ?

— *La Grande Traversée*. C'est le dernier.

— C'est bien ?

— Super. Ça parle des Vikings, ils vont chercher du poisson pour Panoramix pour la potion magique.

— Les Vikings ?

— Mais, non ! Astérix et Obélix ! »

Cécile s'arrête net en constatant qu'il se tripote en lisant. Elle pense immédiatement que cela n'est pas convenable, qu'il faut lui dire quelque chose.

« Qu'est-ce que tu fais avec ta main ? Maman, elle veut que tu fasses ça ?

— Moi, je suis un garçon, répond-il. Le bébé, c'est un bébé.

— Oui, d'accord, tu es un garçon, mais enfin, le bébé, c'est un garçon aussi… Tu devrais venir aux scouts. Louveteau, je suis sûr que ça te plairait. Tu sais que je vais devenir Jeannette…

— Ça, sûrement pas, c'est nul ! répond-il en poursuivant le plus naturellement du monde. De toute façon Anne-Marie me dit que c'est très bien pour devenir un homme. »

Cécile se sent soudain embarrassée de son propre corps.

« Jean-Marc, arrête ! On doit obéir à maman, pas à Anne-Marie.

— Ouais, ouais, c'est ça. Laisse-moi lire, maintenant. C'est ma chambre. »

Effarée, elle referme la porte et part dans l'appartement à la recherche de sa sœur. Elle la trouve occupée à punaiser au-dessus de son lit un énorme poster à moitié replié sur lui-même.

« Anne-Marie, chuchote Cécile, Jean-Marc se tripote…

— Et alors ? » Elle déplie le poster dans toute sa hauteur. Une créature blonde moulée dans une tenue blanche à paillettes apparaît.

« Regarde Claude François, Cécile. Ça c'est un homme. Sandra, elle a un poster plus grand encore. Regarde comme c'est moulé dans le pantalon, comme on voit bien. »

Cécile regarde un peu. Ça la dégoûte tout de suite. On dirait une fille. Elle ressent un déplaisir supplémentaire à l'idée de dormir avec cette photo immense au mur de sa chambre. Quant à la copine Sandra, c'est une fille qui se maquille comme une putain, dit leur mère. Mais les agissements de Jean-Marc sont plus importants.

« Jean-Marc m'a dit que tu lui as dit que c'est bien…

— Oui, et alors ? Il faut bien qu'il devienne un homme, non ? De toute façon, tu sais que, depuis la naissance du bébé, il ne m'écoute plus. Il n'écoute que maman. C'est le bébé de maman…

— Il n'est plus un bébé…

— Tous les garçons sont des bébés, Cécile.

— En tout cas, il t'écoute quand tu lui dis que c'est bien…

— C'est déjà ça de pris. Ça sera un homme. »

Découragée, Cécile s'assoit sur son lit et récite une prière dans sa tête. Une prière pour sa sœur et son petit frère. Que deviendrait la famille sans toutes ses prières ? Elle rajoute une prière pour Sandra, cette fille perdue, maquillée.

J'ai envie de lui dire qu'elle ne perd rien pour attendre, que le maquillage va aussi lui tomber dessus un jour, mais je suis en promenade dans le landau.

*

« Ah ? » souffle ma mère.

Mon père s'anime.

« Mais oui ! Les taxes parafiscales sont établies par décret en Conseil d'État pris sur le rapport du ministre chargé du Budget et des ministres intéressés et obligatoirement contresigné par le ministre de l'Économie. Ces décrets fixent l'affectation, l'assiette, le fait générateur, les règles de liquidation et de recouvrement de ces taxes ainsi que leur durée, qui ne peut en aucun cas excéder cinq ans, et leur taux ou une limite maximum pour ce taux...

En se recalant sur l'oreiller, il s'aperçoit qu'elle ronfle et arrête net ses explications. Quand même. Elle lui demande en quoi consiste sa promotion, a l'air de s'intéresser, et voilà qu'elle n'écoute rien. Elle exagère. Il a travaillé dur pour en arriver là. N'importe qui ne parvient pas à un poste pareil à son âge, surtout au ministère du Budget. Il fait partie de l'élite. Elle ne comprend rien, demande et voilà qu'elle ronfle, maintenant. Ses lèvres se serrent dans un rictus de mépris. Au plafond, les zigzags lumineux des voitures ajoutent à son irritation. Il marmonne que, dans la limite définie par le décret prévu à l'article 335, des arrêtés du ministre chargé du Budget, ministre chargé de l'Économie et du ou des ministres intéressés fixent, s'il y a lieu, le taux de chaque taxe. Voilà, comme ça, il aura tout dit, terminé.

Il se tourne en chien de fusil, remâche un instant sa rancœur puis cède progressivement aux bras de Morphée dans un sentiment de délicieux abandon. Depuis le matin, il baigne dans la réglementation des taxes parafiscales, nage comme un poisson dans l'eau de ces mots techniques. La venue du sommeil agit comme un baume sur la parafiscalité, et soudain, le grincement, comme des gonds de porte métallique rouillés, oui, Morphée l'entraîne vers les profondeurs, grincement aigu, atroce, comme un cri de cochon qu'on saigne, dormir pourtant, demain, le Ministre lui-même l'interroge sur les taxes, la réforme des taxes, les taxes parafiscales, ça lui déchire les oreilles, la tête, un tire-bouchon dans les oreilles, voilà ce que c'est, il faudrait une taxe parafiscale sur les tire-bouchons, il hurle, c'est ça, ce bébé de malheur qui a oublié d'être mongolien, pardon, trisomique, comme toujours il recommence à hurler au moment même où lui s'endort, elle y va, oui, voilà, elle y va, est-ce qu'elle a besoin de quelque chose, mais non, elle n'a pas besoin, c'est elle la mère, la mère c'est la mère, le bébé veut sa mère. Morphée revient l'enserrer, l'étouffer, le prendre, il sent un peu de bave couler de sa bouche, l'air passer librement, la détente de tous les muscles, le ministre l'accueille dans son bureau, lui s'agenouille humblement devant l'Autorité Légitime, relevez-vous, Monsieur Robert Bergamo, c'est moi qui ne suis pas digne de vous recevoir, je vous écoute, Monsieur Robert Bergamo, nouveau directeur des Taxes Parafiscales, et dites seulement quelle réforme vous préconisez et je serai sauvé. Alors il lui répond d'une voix sourde, humble, je ne suis qu'un modeste fonctionnaire père de famille dont un non mongolien, pardon, non débile mental, oui, c'est vrai, il ne l'est pas, les grincements, les grincements reprennent, comme au mois de juillet dernier à la Montagne, ils ont enfin pu louer au mois de juillet avant cette Bretagne de malheur, mais à la Montagne, il a hurlé toutes les nuits, ce petit salopard aux grandes oreilles, et à la plage ça a été pareil, pourquoi ne lui donne-t-elle pas de biberon, de sein, de bâillon, de fouet, clouer ce bébé au mur, avec une serviette dans la bouche, lui dévisser la tête pour qu'il dorme, que tout le monde dorme, dorme, dorme. Dorme.

10.

J'ai encore rêvé d'elle / C'est bête, elle n'a rien fait pour ça / Elle n'est pas vraiment belle / C'est mieux, elle est faite pour moi / Toute en douceur / Juste pour mon cœur

Cécile lève les yeux de sa table de travail.

« C'est joli, demande-t-elle. C'est quoi ?

— Tu ne les as pas vus, à la télé ? Un groupe qui s'appelle *Il était une fois*. La fille blonde et le gars aux cheveux longs ! répond Anne-Marie en mâchouillant un chewing-gum sur son lit.

— Non. Tu sais bien que maman ne veut pas qu'on regarde ça… »

Anne-Marie lui montre la pochette du disque. Cécile grimace. Cela ne ressemble pas à des disques acceptables.

« Le barbu, là ? Il ne plairait pas à maman…

— Qu'est-ce que ça peut faire ? De toute façon, elle n'aime rien. »

Anne-Marie en a soupé de cette bondieuserie de Cécile. C'est joli, c'est joli, elle ne sait dire que ça. L'occasion que ça change.

« Et là, c'est joli aussi ?

— Quoi ? demande Cécile.

— Là, écoute ! »

Je l'ai rêvée si fort / Que les draps s'en souviennent
Elle lève le bras de la platine devant le visage interdit de sa sœur.

« Ce qu'il dit, là, tu comprends ce qu'il dit ? Les draps s'en souviennent ? Je vais te remettre le passage. »

Je l'ai rêvée si fort / Que les draps s'en souviennent
« Alors ? dit-elle en relevant le bras de la platine.

— Euh… il a eu chaud en dormant…

— Mais non, bécasse. Il a joui en rêvant.

— Ça veut dire quoi ?

— Sa grosse queue bien dure a craché du sperme pendant qu'il dormait.

— Mais… c'est dégoûtant ! Arrête…

— Tu n'as jamais vu un homme te montrer ça ? » insiste Anne-Marie.

Cécile rougit et murmure un « non » affolé.

« Le père Bluche, il ne t'a pas montré sa queue ? insiste Anne-Marie.

— Quoi ? Le père Bluche ? Cécile ouvre des yeux ronds comme des soucoupes.

— Ne fais pas l'innocente… moi, il me l'a montrée. Il voulait même que je la prenne dans la bouche. Et tu sais ce qu'il dit, *Il était une fois* après ça ? "Je dormais dans son corps." Écoute. »

Je l'ai rêvée si fort / Que les draps s'en souviennent / Je dormais dans son corps

« Et ça veut dire quoi, ça, Cécile ? » dit-elle en relevant de nouveau le bras.

Cécile sent le sol se dérober sous ses pieds. Anne-Marie l'attaque avec l'acharnement d'une lionne sur une gazelle.

« C'est… c'est une façon de parler.

— Parler de quoi ? »

Cécile regarde par terre.

« Il lui met sa grosse queue, affirme Anne-Marie. Dans la fente, Cécile. Tu comprends ? Il la lui met dans la fente. À douze ans, il est temps de savoir ça, Cécile, non ? »

Cécile rougit beaucoup, essaie de se raccrocher à quelque chose de pur et de tangible, tiens, le crucifix pendu au mur. Fixant son attention sur Jésus, elle commence de réciter un Notre Père.

« Il se la tape, insiste Anne-Marie avec véhémence en regardant sa sœur lever les yeux au ciel. Il se la tape avec sa grosse queue et c'est bon ! »

Cécile termine sa prière et quitte le crucifix des yeux pour revenir sur la pochette du disque. Ce

type barbu et cette fille blonde. Il dort dedans...
c'est dégoûtant.

« Tu ne sais pas ce qui est bon, reprend calmement Anne-Marie.

— Quoi ? tu veux dire que... tu... tu fais...

— Avec Patrice Laffont, énonce Anne-Marie le plus naturellement du monde.

— Le Patrice Laffont de la télé des *Chiffres et des Lettres* ? »

Anne-Marie hoche la tête de haut en bas en silence. Ce n'est maintenant qu'une question de jours. Comme si c'était fait. Elle a trouvé son adresse, lui a écrit, il va répondre à cause de la photo, le polaroïd fait avec Sandra sur lequel on voit sa culotte. Patrice Laffont est un vrai homme, il ne peut pas ne pas répondre et lui donner un rendez-vous. Ce serait juste avant *Des Chiffres et des Lettres*, dans les sous-sols de la télévision. Ça commencerait comme avec le père Bluche, mais elle voudrait bien et il cracherait tout dans sa fente. Elle l'aura comme ça. Elle le voit bien, il est là, Patrice Laffont, devant elle, dans sa chambre, il ouvre sa braguette, et sa queue, bien plus propre que celle du père Bluche, jaillit comme un ressort...

Cécile reprend ses esprits. Sa grande sœur, l'œil dans le vague, n'est pas bien dans sa tête, c'est sûr.

« Tu en as parlé à maman ? demande-t-elle d'un ton inquiet.

— Maman ? Les vingt kilos qu'elle a pris pendant la grossesse, elle va les garder. C'est pour cela qu'elle augmente le café… Tu as vu le gras qu'elle a pris, tu as vu ?

— Je ne vois pas le rapport.

— Et quoi encore ? J'ai bientôt seize ans. Il y a la pilule… et l'avortement, maintenant.

— Anne-Marie, c'est péché. Le père Brisemur l'a dit…

— Péché, péché ! Tu parles comme elle ! Tu crois qu'elle n'a jamais couché, maman ? Tu la prends pour la sainte vierge ? De toute façon, tu sais très bien que je ne vais plus à la messe. »

Cécile regarde de nouveau Jésus cloué sur sa croix, implore une réponse.

« Tu me dégoûtes, tiens, une vraie bonne sœur ! » lui lance Anne-Marie. Elle se lève et sort de la chambre.

Dans le couloir, l'envie lui prend de me voir. Son bébé. Si je dors bien, si j'ai chaud, ou faim. Son bébé à elle. Elle est sûre maintenant que la droguée du café ne s'en occupe pas bien, sinon je ne crierais pas toutes les nuits depuis six mois.

Je la sens au-dessus de mon berceau. J'en frétille.

11.

« À table ! ordonne ma mère. À partir de ce soir, Jean-Marc dîne tous les soirs avec nous. Huit ans, c'est un grand garçon, maintenant. Et puisque le bébé fait ses nuits depuis une semaine sans réveiller personne. Papa a installé l'ancien lit à barreaux de Jean-Marc dans la chambre des garçons. Comme ça, il y a la chambre des garçons et la chambre des filles. Et maintenant, papa a quelque chose à vous dire.

Mon père reste silencieux, un peu gêné.

« Mais enfin, dis-leur, Robert, pour les taxes ! » insiste ma mère.

Il s'éclaircit la voix en ses trois raclements de tourterelle.

« Eh bien, j'ai eu une promotion à la direction des taxes parafiscales.

— Surtout, coupe-t-elle, nous allons déménager pour acheter une maison.

— Avec un jardin ? demande Jean-Marc.

— Bien sûr, un jardin, répond ma mère tout sourire.

— Super génial ! » s'écrie-t-il.

Mon père se tourterelle de nouveau la gorge. Ce don de Marie-Thérèse pour le placer devant le fait accompli.

« Il va falloir s'endetter…, murmure-t-il, on est pas si mal, ici, non ?

— Les filles auront chacune leur chambre, annonce ma mère. Cécile pourra écouter des choses bien sans qu'Anne-Marie ne la dérange avec ses dégueulasseries. Tiens, dit-elle à Cécile, je t'ai acheté un autre disque. »

Elle lui tend une pochette sur laquelle figure un visage d'homme glabre, en col romain, souriant à pleines dents dans la lumière d'un soleil printanier.

« Il y a celle que tu aimes bien, murmure ma mère.

— Oh ! s'exclame Cécile. *Le Curé chantant* ! Et il y a *Jésus Sauveur* ?

— Oui, *Jésus Sauveur*, confirme ma mère les yeux brillants en hochant la tête.

— Chouette ! » s'écrie Cécile. Elle embrasse maman et elles entonnent toutes les deux les premières mesures de *Jésus Sauveur*.

Anne-Marie hausse les épaules. Ma mère interrompt l'exercice vocal.

« Si ça ne te plaît pas, Anne-Marie, tu pourras dormir à la cave, il y aura aussi une cave dans la nouvelle maison.

— Alors, c'est quoi, ces taxes ? » demande Anne-Marie à son père comme si tout cela ne la concernait pas.

Mon père se sent soudain en confiance.

« Ma foi, c'est très simple. Je vais t'expliquer, Anne-Marie. Les taxes parafiscales sont établies par décret en Conseil d'État pris sur le rapport du ministre chargé du Budget et du ou des ministres intéressés et obligatoirement contresigné par le ministre de l'Économie. Ces décrets fixent l'affectation, l'assiette, le fait générateur, les règles de liquidation et de recouvrement de ces taxes ainsi que leur durée, qui ne peut en aucun cas excéder cinq ans, et leur taux ou une limite maximum pour ce taux.

— Moi, je n'y comprends rien ! » dit Cécile.

Mon père fronce les sourcils et poursuit.

« Mais si, voyons ! Dans la limite définie par le décret prévu à l'article 335, des arrêtés du ministre chargé du Budget, ministre chargé de l'Économie et du ou des ministres intéressés fixent, s'il y a lieu, le taux de chaque taxe.

— Tu veux bien manger, Robert, maintenant », ordonne ma mère, c'est en train de refroidir.

Il s'exécute.

« Et toi, tu fais quoi, avec ces taxes ? demande Anne-Marie, saisissant l'occasion de contrer maman.

— C'est très simple, continue mon père tout en mâchant ses pommes de terre à l'eau. Un prélèvement représentant les frais d'assiette et de perception est effectué au profit du budget général sur tous les recouvrements de taxes parafiscales opérés par les administrations de l'État. Le taux de ce prélèvement est fixé à 5 % sauf dérogation par arrêté du ministre chargé du Budget.

— Et alors ? demande Anne-Marie.

— Eh bien, c'est moi qui rédige les arrêtés dérogatoires, répond-il avec un sourire radieux. Et il y a plus de quatre-vingts taxes…

— Ah, lâche Anne-Marie.

— Voilà, conclut ma mère. Maintenant, Cécile, veux-tu bien apporter le fromage. Jean-Marc, finis ton dessert et va te coucher, je viendrai te dire bonsoir. »

*

Assis sur son lit, Jean-Marc boude. Notre père a dévissé les patères en bois et placé son ancien lit à barreaux sous son dessin des Alpes sans qu'on lui demande quoi que ce soit. Non seulement on lui a enlevé ses accessoires d'escalade pour me mettre à leur place, mais, en plus, je lui vole son ancien lit. Il se rapproche de moi. Je dors, toujours avec mes oreilles en chou-fleur et ma tête rougeaude. Pas vraiment un être humain, pense-t-il. Pas de quoi s'en faire, finalement. Et puis, quand ils auront la maison, il aura de nouveau sa chambre à lui.

« Tu t'es lavé les dents, mon petit Jean-Marc ? » lui demande notre mère en entrant dans la chambre.

Il se jette dans ses jupes.

« Maman ! » dit-il tendrement.

En elle, toujours ce même bonheur des retrouvailles avec le miracle de la vie sortie de la ferraille, de la mort. Pourtant, elle l'a vu à table, à peine deux minutes auparavant. Elle n'y peut rien. Je préfère dormir plutôt que d'assister à ça une nouvelle fois.

« Tu ne réveilles pas le bébé, hein ? dit-elle. Tu es son grand frère, c'est important.

— Mais, non, maman. Tu sais, ajoute-t-il, je l'aime bien, finalement, ce petit frère. Et puis, ce n'est pas grave qu'il soit le petit dernier. Ce n'est qu'un bébé, finalement. »

Il part se laver les dents. Quand il revient se coucher, elle le signe au front et tous deux récitent la prière du soir.

Le petit dernier

Huit ans déjà, pense-t-elle en sortant de la chambre. Et combien plus gentil que son petit frère au même âge.

*

« Eh, la nonne, tu connais ça ? »

À faire pâlir tous les Marquis de Sade / À faire rougir les putains de la rade / À faire crier grâce à tous les échos / À faire trembler les murs de Jéricho / Je vais t'aimer.

Cécile soupire.

« C'est quoi encore ?

— Tu ne le reconnais pas ? Tu l'aimes bien, pourtant. Sardou, le chanteur de l'accident. Là, c'est plus sympa quand même. »

À faire flamber des enfers dans tes yeux / À faire jurer tous les tonnerres de Dieu / À faire dresser tes seins et tous les Saints / À faire prier et supplier nos mains / Je vais t'aimer.

« Tu trouves ça dégoûtant, hein ? ajoute Anne-Marie d'une voix presque menaçante.

— Tu me fatigues. La vérité, c'est que tu es une obsédée. Ça s'appelle comme ça. Une obsédée. Je me demande vraiment d'où ça vient chez toi.

— Et toi, l'amour, l'amour, ton *Curé chantant* n'arrête pas d'en parler ! Il a une queue aussi, comme le père Bluche et tous les autres ! s'emporte Anne-Marie.

— On ne parle pas de la même chose, Anne-Marie. Avec maman, on parle du vrai amour, pas de tes trucs sales. Il n'y a pas de plus bel amour que de donner sa vie pour ceux qu'on aime, dit Jésus.

— Moi, je ne me tuerai jamais pour Jésus. Jésus maso à la con ! » Elle monte le son.

Cécile se signe.

Je vais t'aimer / Comme on ne t'a jamais aimée / Je vais t'aimer / Plus loin que tes rêves ont imaginé / Je vais t'aimer. Je vais t'aimer.

« Tu veux que je te dise ? reprend calmement Cécile entre deux imprécations du chanteur. Je suis contente d'avoir bientôt ma chambre à moi. À propos, Patrice Laffont, tu n'en parles plus ? »

Anne-Marie rentre sa tête dans ses épaules.

« Tu ne regardes même plus les *Des Chiffres et des Lettres*, poursuit Cécile, qui sent qu'elle tient sa revanche. Enlève ça, maintenant, cela me rappelle trop l'accident à la télévision.

— Les filles, où en êtes-vous de vos affaires ? Il faudra bientôt finir les caisses pour les déménageurs, dit mon père en entrant dans leur chambre.

— Moi, j'ai fini, dit Cécile. Je vais voir si maman a besoin d'aide à la cuisine. »

Le petit dernier

Mon père s'approche d'Anne-Marie, renfrognée sur son lit.

« Tiens, puisque cela t'intéresse…

— Que je m'intéresse à quoi ? demande-t-elle comme émergeant d'une brume épaisse.

— Je t'ai apporté le texte de l'Ordonnance organique du 2 janvier 1959 relative aux lois de finances, où il est mention des taxes parafiscales. Regarde, je vais te lire l'article 4 de l'ordonnance. Écoute bien : « Les taxes parafiscales perçues dans un intérêt économique ou social au profit d'une personne morale de droit public ou privé autre que l'État. »

— Euh… oui… Pose ça là, papa.

— Comme tu veux. Je t'ai joint aussi le texte de la taxe dont bénéficient les industries du textile et de la maille, et la taxe bénéficiant à l'Institut des corps gras. »

Anne-Marie part d'un grand éclat de rire.

« Les corps gras ? Tu vas faire une taxe sur maman ? »

Notre père hausse les épaules en esquissant un sourire amer, puis referme la porte de la chambre des filles.

Ensuite, tout cela s'est progressivement recouvert d'un voile et scellé dans l'oubli, comme un livre aux pages collées entre elles.

II

1.

Le président Giscard d'Estaing restera dans l'histoire comme quelqu'un qui a dit au revoir d'une façon qui ne se fait pas.

« Au revoir… »

Le président Giscard d'Estaing se lève, tourne le dos à la caméra et s'éloigne, de plus en plus petit, vers le fond du récepteur de télévision, où il disparaît par une porte dérobée à l'endroit des câbles de branchements.

Ma mère croit rêver, cligne des yeux. Une chaise occupe maintenant tout l'écran, derrière une table ne supportant qu'un verre d'eau à moitié vide. Giscard n'est plus là, la chaise attend et il n'y a plus personne dans le poste. Elle trouve que cela commence à bien faire. Combien de temps vont-ils laisser ce tableau absurde, avec cette *Marseillaise* au tempo ralenti ? Une boule lui serre la gorge, quelque chose creuse son estomac. Il part comme ça ! Que Robert s'abandonne aux gens de gauche, ça ne l'étonne pas. Pour lui, on sert l'État avant de servir les hommes politiques. Mais Giscard ! Durant tout son septennat, elle n'a pas oublié son histoire avec lui. Chaque fois qu'il apparaissait à la télévision, une chaleur coupable irradiait horriblement dans son ventre. Et voici qu'il la quitte froidement, la laisse toute seule avec les socialo-communistes !

Autant dire les bolcheviques. Mamie le lui disait souvent pendant la guerre : *On ne les aime pas, mais les Allemands sont là pour nous protéger des bolcheviques, c'est ce que disait ton père.* L'arrestation lui saute au visage. La Gestapo, rue de Rivoli. La Gestapo censée la protéger des bolchéviks. Trois, de vrais cloportes à chapeaux et imperméables noirs. Elle en avait croisé deux, et le dernier s'était planté devant elle, l'empêchant de continuer son chemin. Il dit « mais voilà une petite qui a oublié de coudre son étoile sur son manteau. Elle ne sait pas coudre, peut-être ? Hé, les gars, en voilà une qui ne sait pas coudre ! Pourtant, ce ne sont pas les couturiers qui manquent, chez eux ! ». Les deux autres se retournent pour revenir tranquillement sur leurs pas. Ils la regardent comme les caricaturistes de la place du Tertre dévisagent les passants, et le premier dit « tu nous suis ». Là, devant cette chaise vide de Giscard, elle balbutie qu'elle n'a même pas quatorze ans, ses papiers, elle les a, « il n'y a pas d'âge pour ça », répond le deuxième, et le premier, celui qui a l'œil comme un peintre sait les proportions, rajoute qu'avec une tête et un nez comme le sien, les papiers ça ne sert à rien. Il répète à rien, à rien, et rit, sans doute de l'homophonie avec « aryen ». Ensuite, à leur bureau, ils voient bien ses papiers, elle n'est pas juive. Oui, il y a ce nez, le *nez bourbon* on dit dans la famille, et ces cheveux noirs, ce teint mat – c'est ça qui les a alertés, c'est pour ça qu'ils l'ont arrêtée. Elle les comprend bien. Elle aurait fait pareil à leur place. Son père avait cette tête-là. Elle s'en souvient bien, elle a la même tête que son père. Et sur les photos qui restent de lui, c'est bien sa tête à elle aussi, une tête du Sud, oui, c'est sûr, mais pas juif, pas juif, pas juif ! Un des trois lui rend ses papiers en soupirant. « Eh ben la môme, ajoute-t-il, avec un pif comme ça, t'es pas sortie de l'auberge ! », et la voilà dehors qui court au magasin de pièges à taupes, rats, nuisibles, place Sainte-Opportune, retrouver sa mère, sa sœur et son petit frère Jean-Marc. Elle ne dit rien à personne. Pourquoi puisqu'elle n'est pas juive.

Ma mère passe sa main sur son front, plusieurs fois, avec application, comme pour faire pénétrer de la crème hydratante, chasser, chasser de sa tête ce souvenir horrible, cette chaise béante et ce mot stigmate, « juif ». Et maintenant cette télévision vide va se remplir de socialo-communistes. La *Marseillaise*, transformée en montre molle de Dalí, n'en finit pas de s'étirer. Le pays n'a plus de chef. Le Trône est vacant, comme en 1793, 21 janvier, exécution de Louis XVI, victime de son nez bourbon – lui aussi. Soudain, l'heure à la pendule jaune. Préparer le repas. Elle se lève et ferme le poste en maudissant ce 4 juin 1981.

Le visage de Mitterrand lui apparaît en épluchant les champignons qui trempent dans le saladier d'eau vinaigrée. À cause des lamelles sombres sous les chapeaux. Les lamelles de store. C'est comme ça qu'ils ont fait apparaître la tête du nouveau président à la télévision : découpée horizontalement en lamelles de stores le soir du 10 mai, de haut en bas. Tout de suite, elle pense que c'est une drôle d'idée de faire apparaître la tête de Giscard ainsi, mais elle soupçonne quelque chose d'anormal : le front n'est pas celui de Giscard. Les lamelles suivantes confirment son impression : Mitterrand et les communistes à presque 52 %. En plus ça lui déclenche des bouffées de chaleur. La ménopause, elle le sait. Giscard parti, la ménopause. Elle ne peut pas faire taire les cris de joie des filles, Anne-Marie exige d'emmener Jean-Marc à la Bastille, au concert des guitares électriques. Cécile lui dit amen. Robert autorise par mollesse.

Jean-Marc est odieux – son oncle tout craché. Elle lui dit : toi, tu es ton oncle Jean-Marc tout craché ! et il répond, l'impertinent, à quatorze ans, il répond avec ses cheveux longs de fille, « de toute façon on ne le voit jamais, ton frère, il est naze », alors elle se met en rage, répète « Tu ne parles pas comme ça de mon petit frère ! Tout craché, tu es ton oncle Jean-Marc tout craché, Satan tout craché ! ». Les champignons surnagent dans le saladier d'eau vinaigrée. Il faut les égoutter, maintenant.

Pendant ce temps des adieux de Giscard à la France, je suis là-haut chez Anne-Marie. Avec Anne-Marie, même si elle est partie. Je déroule de nouveau le film de nos beaux jours.

« Où c'est ? je lui demande en montrant une photo encadrée sur sa petite bibliothèque.

— Tu reconnais Bonne-maman, Jeannot ? C'est quand j'étais avec Cécile chez elle. Après l'accident, on a été chez Bonne-maman, c'était bien.

— L'accident ?

— L'accident de 1968. Papa ne t'en parlera jamais. Il n'était pas là. C'est là que Mamie est morte.

— Mamie c'est elle ! Je pointe du doigt le portrait au-dessus du lit. D'un fond très sombre surgit une tête de femme à l'air austère, sans âge, habillée

en velours vert foncé, le cou enserré dans une col-
lerette de dentelle noire.

— Non, je te dis, ce n'est pas Mamie. On était
tous dans la voiture.

— Moi aussi ?

— Mais, non, tu n'étais pas né.

— Si, je veux être né avec vous !

— Non. Tu n'y étais pas. On y était moi et
Cécile à l'arrière avec Mamie, et maman à l'avant
avec Jean-Marc dans son ventre. Tatie conduisait
et s'est fait rentrer dedans par un monsieur qui a
brûlé un stop.

— Ça a fait paf ?

— Oui, paf, dit-elle en s'assombrissant soudain. Maman a la cicatrice sur le bras. Tu la vois,
sa cicatrice ?

— Oui.

— Ensuite, Tatie est devenue cinglée. Heureusement qu'on a eu Bonne-maman. C'était bien.
On avait la paix.

— C'est quoi cinglée ? »

Anne-Marie caresse mes cheveux.

« Tu sais que tu es trop drôle, toi ! À quatre ans,
tu veux que je t'explique ce que c'est qu'être cinglé ?

— Oh oui, cinglé, cinglé ! j'exige. »

Anne-Marie cherche dans sa tête, puis part d'un
grand éclat de rire. Oui, c'est ça ! Je ris de bon

cœur, c'est bien, de la voir rire, maman rit si peu qu'Anne-Marie la remplace dans le rire, c'est bien ! Le visage d'Anne-Marie réchauffe comme un soleil.

« Cinglé, c'est comme maman ! dit-elle entre deux hoquets. Tu comprends ? Chiante et tarée avec les curés, tu comprends ?

— Cinglé, c'est maman ? »

Je sens un frisson me parcourir, comme un glaçon dans ma tête. Je m'arrête de rire.

« Tu comprends ? » répète-t-elle de toutes ses dents. Elle me secoue les épaules avec ses deux mains fines, ses yeux noisette brillent devant moi, je retrouve la chaleur dissipée un instant par ce froid dans ma tête. Tout vient d'elle. Je souris de nouveau aux yeux et ris de bon cœur.

« On prend le thé comme ça, chez les Anglais. Attention, Jeannot, c'est chaud ! C'est du *Earl Grey*, ils disent. »

Anne-Marie verse le contenu de la bouilloire dans la théière et repose le couvercle. Assis par terre, adossé contre le lit, je regarde ses bras nus couverts de taches de rousseur, ses mains disposer les tasses.

« On est bien, non ? Ici, elle ne vient pas nous faire chier. Deux étages à monter, ça commence à faire à cinquante balais – surtout avec des varices. »

J'approuve. Anne-Marie est très grande, elle a toujours raison. Chez elle, je suis grand comme elle. La moquette de sa chambre, pour grands aussi, râpe comme un gazon vert foncé tondu par les moutons. De sa fenêtre sous le toit, on voit toutes les maisons sur la butte, et au fond, l'école où la maîtresse fait les leçons que je connais déjà avec Anne-Marie : lire l'heure, les additions, les mots compliqués comme « évidemment » ou « précisément ».

« Tu sais ce qu'elle a fait encore, aujourd'hui ? poursuit-elle d'un ton très remonté.

— Précisément ?

— Elle a allumé le gaz du four avant l'allumette. Résultat, comme elle n'arrivait pas à craquer l'allumette, le gaz s'est accumulé dans le four. Et quand enfin elle a réussi à allumer, elle a failli faire sauter la maison. Ça a fait une grosse flamme qui sortait du four. »

J'acquiesce. Maman fait des tas de bêtises, mais heureusement, Anne-Marie est là !

« Ça fait une impressionnante explosion ? boum ? je suggère, les yeux écarquillés.

— Ah oui, boum boum ! ricane-t-elle. Une explosion impressionnante, on dit. Les Anglais inversent, pas nous. »

Anne-Marie verse le thé dans les tasses avec ses bras et ses mains.

« Les Anglais, ils boivent le thé comme ça, en levant le petit doigt. Regarde... »

Elle dresse l'auriculaire, porte la tasse à sa bouche entrouverte.

« ... et ils mangent des scones et des muffins... aujourd'hui, c'est des scones, sers-toi ! Tu peux tremper si tu veux. Je les ai achetés hier à Paris chez *Marks & Spencer*.

— Ça sent bon, le relgrè, je constate.

— *Earl Grey*, Jeannot. *Earl Grey*, ça viendra, tu sauras le dire bientôt. »

Je prends un scone, le trempe dans le thé, le fourre dans ma bouche et montre le mur au-dessus du lit.

« Le tableau sinistre, c'est Mamie ?

— Chaque fois que nous prenons le thé, tu me demandes si c'est Mamie ! Je n'en sais rien. Je ne sais pas qui c'est. Moi, je dis que, rigide comme ça, c'est la reine Victoria.

— Alors c'est Mamie, celle qui prend son bain toute habillée !

— Non, ce n'est pas Mamie. J'aimerai bien mettre autre chose, c'est quand même ma chambre, et mon lit est dessous, mais elle fait trop chier, elle ne veut pas que je le décroche. Tu te rends compte, dormir avec ça au-dessus de la tête ? »

Je pense qu'Anne-Marie a raison, cela ne doit pas être drôle de dormir là-dessous, mais Mamie doit être gentille.

« De toute façon, je vais me tirer bientôt.

— Te tirer précisément ? je demande un peu inquiet.

— Écoute, j'ai dix-neuf ans, j'ai raté le bac une fois déjà... si je le rate de nouveau, je m'en vais... »

Je la supplie.

« Je ne veux pas que tu partes. J'ai cinq ans !

— Mais j'irai travailler, et tu viendras me voir... ce n'est pas pour tout de suite, Jeannot ! Ne t'inquiète pas. Tiens, je partirai quand tu auras l'âge de raison !

— C'est quoi ?

— Sept ans. Là, à cinq ans, tu n'es pas encore raisonnable. Je partirai quand tu seras un grand garçon de sept ans. »

Elle prend un autre scone et le mâche longuement, puis soudain parle à voix basse, comme pour délivrer un message urgent ou confidentiel.

« Sinon... tu sais ce qu'elle a encore dit, aujourd'hui ? »

Je sens mon cœur battre plus vite. Elle s'aperçoit de quelque chose, hésite à continuer. J'insiste.

« Elle a dit précisément ?

Le petit dernier

— Eh bien elle a redit à Cécile qu'elle ne l'avait pas désirée. Tu te rends compte ? Elle lui a dit ça dans l'escalier, hier soir, comme ça, dans sa gueule : « Toi, tais-toi, je ne t'ai jamais voulue ». Tu te rends compte ? »

J'acquiesce. Anne-Marie se penche pour dire ça, je vois dans son chemisier ouvert le soutien-gorge avec des trous partout. Ça a l'air d'être une chose grave, ce qu'a dit maman.

« Tu ne lui en parles pas, hein ? C'est un secret entre nous. »

Je hoche la tête fièrement et trempe le scone dans ma tasse.

« Précisément », je lui réponds.

Le soutien-gorge est bleu, et les trous dessus s'appellent des dentelles affolantes, comme le couvre-lit blanc en tricot.

« Tu vois, Jeannot, depuis que j'ai une chambre pour moi toute seule, elle ne vient plus me faire chier comme avant à vérifier mes disques. Je te l'ai dit, deux étages à monter avec quatre-vingt-cinq kilos de gras, ça commence à être fatigant. Quand elle monte, je l'entends souffler, j'ai le temps de changer de disque ! Je ne mettrai quand même pas *Le Curé chantant*, hein ? Faut pas exagérer. Quand je mets Gainsbourg, tu sais, la chanson où il dit *Et si Dieu est juif ça t'inquiéterait, petite, sais-tu que le nazaréen n'avait rien d'un aryen* ? c'est sûr qu'il faut que je change rapidement si je l'entends monter, tu comprends ? Je ne veux pas qu'elle me casse mes Gainsbourg comme elle a fait avec Pierre Perret dans l'appartement... enfin, elle ne sait pas que j'ai des Gainsbourg, donc ça va. Tu ne connais pas Pierre Perret ? Je ne t'ai jamais fait écouter *Le Zizi* ? Ça m'étonne. Tu m'y feras penser. Donc, je les planque. Planquer, ça veut dire que je les cache. Tu veux que je te montre où ? Viens dans le cabinet de toilette avec moi. Tu vois, là-haut, au-dessus du meuble ? C'est là que je mets les disques qu'elle n'aime pas ! Non, touche pas ça, c'est mes serviettes hygiéniques. Je te montrerai plus tard, si tu veux, à quoi ça sert, comment ça se met, ce n'est pas à sa connerie de messe que tu apprendras ça. Reviens dans ma chambre, assieds-toi sur le coussin par terre. Donc, je te disais, quand elle monte, je mets vite un disque qu'elle aime bien. Par exemple, les *Danses hongroises* de Brahms. Il faut dire que je l'aime bien aussi, donc on peut tomber d'accord là-dessus, elle la ferme et moi je suis contente. Tu veux l'écouter ? Regarde, la pochette, il y a un beau château dessus. Les chapeaux des tours, tu as vu. Ils sont en ardoise. C'est une pierre gris foncé, qu'on coupe en tranches très fines pour mettre sur les toits. Tu vois la jolie forme que ça fait ? Comme un cône bien lisse au-dessus de la tour, mmm, on dirait une glace à lécher ! »

Anne-Marie trie des pochettes dans son bac à disques. Derrière elle, son parfum monte à ma tête, je la respire.

« Tu veux que je te montre ce qui la faisait vraiment, mais vraiment, chier quand on était dans l'appartement, avant qu'on déménage à cause de toi ? Tiens, *La Bonne du curé*. Écoute ! Oui, tu as raison, c'est le tourne-disque de Bonne-maman, je le lui ai pris quand papa lui a offert quelque chose de plus moderne.

— Mais elle est morte, Bonne-maman ! »

Le visage d'Anne-Marie s'assombrit, puis s'éclaire de nouveau alors que le grésillement du diamant sur le disque vinyle cède la place aux binious et à la bourrée paysanne. Anne-Marie sent vraiment très bon, aujourd'hui, il fait chaud.

« Tu comprends, hein ? *j'voudrai bien, mais j'peux point*, ça veut dire qu'elle fait des trucs qu'elle ne peut pas s'empêcher de faire… comme moi avec Marco.

— Eh oui, précisément ! » je réponds.

Elle enlève le disque, le replace dans sa pochette, fouille de nouveau dans sa pile et s'arrête sur un visage barbu en gros plan.

« Non, celui-là, je ne peux pas te le passer.

— Pourquoi ?

— Ce n'est pas de ton âge… quoique… c'est déjà vieux, tu as bientôt l'âge de raison et il y a Mitterrand maintenant, ça va changer tout ça. Maxime le Forestier. Tiens, écoute la mélodie, elle est très mignonne.

Vous êtes si jolies
Quand vous passez le soir
À l'angle de ma rue

— C'est super, ça, hein ? »

La chanson n'en finit pas. Je trouve que ce forestier parle beaucoup, c'est quelqu'un qui vit dans les bois, il doit être seul tout le temps.

« C'est long !

— C'est normal, il savoure. Il regarde les filles passer, des filles d'un pensionnat religieux comme celui où maman m'a mise pour rater encore le bac. Il les trouve sexy sans jamais dire le mot, parce que c'est interdit ! »

Sexy. Elle dit ça ! Entendre, voir *sexy* sortir de sa bouche… je rougis, une envie folle de me rouler tout nu sur la moquette râpeuse vert foncé, elle fouille toujours dans ses disques avec ses bras qui bougent nus et le parfum.

« Tiens ! Oh, ça, il ne faut pas qu'elle tombe dessus ! Ah non, alors ! C'est la troisième chanson. Ensuite, on prend le thé. »

Elle se dépêche d'arracher Maxime le Forestier à ses visions pour placer le disque et vise le troisième sillon avec le bras du pick-up.

Soixante-neuf... année érotique

Je ris.

« Éro-tique ! Ça ne veut rien dire, c'est rigolo !

— Écoute bien, c'est Gainsbourg.

— Éro-tique, c'est Gainsbourg ? »

Elle rit.

« Non... enfin, oui et non !

— C'est quoi, éro-tique ? »

Elle cherche un instant, puis attrape son sac à main et me dit de fermer les yeux.

« Tu peux les rouvrir ! » m'ordonne-t-elle après le parfum encore.

Elle ondule du bassin, les lèvres rouges, une bretelle de soutien-gorge violette sur l'épaule droite dégagée, elle danse comme les filles que maman interdit à la télé, la tête me chauffe avec l'odeur du parfum, c'est comme une dent qui pointe sous la gencive.

« C'est ça, éro-tique, Jeannot ! »

Je comprends qu'éro-tique, c'est plus encore que *sexy*.

« Éro-tique, Jeannot, c'est *supersexy* ! »

La porte s'ouvre brusquement. Ma mère se précipite sur Anne-Marie, la gifle en criant « Dehors, la putain ! Tu prends tes affaires et tu t'en vas ! »

et piétine d'un même élan *Soixante-neuf* et le vieux pick-up dans un craquement de plastique et de contreplaqué.

Anne-Marie, renversée sur son lit sous la violence du coup, reste la tête dans ses mains, le visage enfoui dans le couvre-lit blanc en tricot. Ma mère fulmine, casse encore des disques, déchire des pochettes. Anne-Marie ne pleure pas. Je sais ce qu'elle pense, je me souviens de ce qu'elle a dit au téléphone à sa copine Nathalie : « Si ça dégénère, je pars avec Marco, il dit que je suis idéale pour le service de nuit dans son bar à Caen, doubler mon salaire en liquide avec certains clients si ça me dit. Le jour, on dormira et s'aimera, dans le studio face à la mer, il me paiera des robes et des restaurants comme je n'ai pas idée, mon permis de conduire, une voiture, une carte bancaire – tu es majeure, on part quand tu veux, quand tu veux. Tu comprends, Nathalie, quitter enfin cet affreux couvre-lit que ma mère m'interdit de changer parce que Mamie l'a tricoté. »

On entend la voix de notre père : « Qu'est-ce qui se passe, encore ? ». Ma mère quitte la chambre en claquant la porte. Anne-Marie se tourne lentement sur le lit, se lève et se dirige vers son cabinet de toilette où elle reste longtemps.

On frappe trois petits coups timides. Le signe de mon père.

« Je peux ? » dit-il.

Devant le miroir, elle entend la porte s'ouvrir prudemment, puis les mots de la voix fade : « Tu sais, il ne faut pas contrarier ta mère, elle est très fatiguée en ce moment. » Elle revient dans sa chambre sans le regarder, arrange quelques affaires, puis lâche froidement : « Ce n'est pas grave. La putain s'en va. »

Mon père hausse les épaules.

« Les grands mots, Anne-Marie, toujours les grands mots ! Qu'est-ce que tu vas faire sans le bac… » dit-il en redescendant l'escalier.

« Tu fais quoi ? je lui demande en l'attrapant par les jambes, douces avec ses bas dessus, les mêmes qu'hier – je l'ai vue les mettre.

Affairée sur sa valise, elle ne m'a pas entendu entrer dans sa chambre.

« Tu le vois bien, Jeannot, je fais mes bagages. Je prends le train tout à l'heure.

— Où tu vas ? Marco ?

— Comment sais-tu pour Marco ? me répond-elle stupéfaite.

— Marco à Caen !

— Non, à Cannes, sur la Côte d'Azur, tu sais la ville avec le festival de cinéma… *Violette Nozière*, tu connais ? Mais que je suis bête tu avais trois ans quand c'est sorti.

— Tu reviens vendredi ?

— Non, Jeannot, je ne reviens pas vendredi, je vais travailler. Laisse-moi terminer, maintenant ! »

Je lâche ses jambes pour mieux la regarder empiler ses chemisiers transparents dans la valise ouverte sur le lit, sous le regard austère de la dame qui n'est pas Mamie. Elle s'est rougi les ongles, ça lui va très bien, *sexy* comme ma maîtresse madame Sastre, elle a du rouge sur ses ongles bombés comme ceux d'Anne-Marie, des jambes comme elle aussi avec des chaussures à talon pour faire le bruit remarquable, le sabot de cheval quand elle va chercher ses crèmes et ses poudres dans son cabinet de toilette ou quand elle arpente la classe.

« On prend le thé *Earl Grey* ? » je lance tout excité.

Elle interrompt ses allées et venues, s'agenouille devant moi, prend mes mains dans les siennes et ses yeux au mauve sexy de paupières me regardent. Je surchauffe de bonheur.

« Jeannot… Je m'en vais, murmure-t-elle.

— Mais oui, tu vas travailler et tu reviens ensuite ! je dis aux noisettes des yeux.

— Je ne reviens pas à la maison. »

Je lui effleure la joue.

« C'est à cause de maman ?

— Oui.

— Mais je n'ai pas encore sept ans ! Tu as dit l'âge de raison, sept ans ! » Mon souffle est court, la tête me tourne, un voile noir tombe devant mes yeux.

« Tu viendras me voir pour les vacances, tu auras sept ans ! »

La voix d'Anne-Marie, une promesse – je respire mieux, retrouve la vue.

« Je viens quand à ton travail ? »

Elle sourit. Ce soir tard, elle est à Cannes avec Marco. Elle le lui a dit hier au téléphone. Il a répondu qu'il était fier d'elle, vraiment, qu'elle dise merde à ses vieux. Maintenant, elle devient une vraie femme, libérée de la folle, *totale sexy.*

« C'est quoi déjà ton travail à Caen avec Marco ? je lui demande.

— Cannes. Cannes, murmure-t-elle. Je... je vais travailler dans un restaurant.

— Tu vas faire la cuisine ?

— Voilà, si tu veux !

— Tu me feras du thé quand je viendrai te voir !

— Bien sûr, Jeannot. Maintenant, laisse-moi, il faut que je termine ma valise. »

Je montre le tableau au-dessus du lit.

« Pourquoi tu ne veux pas que ce soit Mamie ?

— Si ça peut te faire plaisir, maintenant, dit-elle en souriant. On va dire que c'est Mamie. Tu as gagné !

— Alors Mamie te regardait tout le temps ! je déclare sentencieusement. Même dormir ! »

Elle change de tête.

« Et ça – je montre le couvre-lit de tricot blanc – c'est son châle pendant l'accident...

— Ça suffit ! crie-t-elle. Ça suffit avec l'accident ! »

Je blanchis comme un linge, de grosses larmes coulent sur mes joues. Elle quitte sa valise pour me prendre dans ses bras.

« Je te ferai du *Earl Grey*, à Cannes. Tu viendras. Bientôt. Et puis, il va y avoir Mitterrand, maintenant. Tout va changer. »

Le film de nos beaux jours s'arrête là. Elle est partie la semaine dernière. Ça sent encore elle dans la chambre.

« Jeanmajeanpaul ! Jean-Paul ! » Ma mère fulmine. « Encore fourré chez Anne-Marie ! » Elle monte jusqu'au premier étage et, très essoufflée, crie dans la cage d'escalier du deuxième étage.

« Jeanmajeanpaul ! viens te laver les mains avant de passer à table ! Il y a des bons champignons et des pâtes à la tomate et au fromage. »

Le petit dernier

Je sors de la chambre d'Anne-Marie et referme la porte sur moi avec elle, elle avec moi. La porte close, tout se conservera dans son parfum. Je passe la tête dans la cage d'escalier. Ma mère est déjà redescendue. Je crie « J'arrive ! » en dévalant les deux étages en trombe.

Les pâtes à la tomate et au fromage, j'adore – les champignons, moins. J'ai fouillé dans le tiroir aux disques à la recherche de ce Pierre Perret, la chanson sur le zizi, ou même plus encore, *Vous êtes si jolies...* en vain. Ce sont des spaghettis. Il ne reste que les disques permis par ma mère. Bach, les *Danses hongroises* de Brahms avec les tours aux cônes luisants, et *Le Curé chantant*, bien sûr. Anne-Marie a tout emporté, ou maman tout cassé. Des spaghettis très chauds mélangés avec du gruyère râpé et de la sauce tomate. Mais quand même. Dans la chambre, c'est bien. Ça sent encore Anne-Marie. Le lit est le même, avec le couvre-lit en tricot blanc, sous le portrait de Mamie. C'est le Plat Sacré des Bergamo, j'appelle ça des alteaf, en concaténant les premières lettres de « à la tomate et au fromage ». Elle est partie la semaine dernière, elle va bientôt revenir, c'est sûr. Heureusement madame Sastre, ma maîtresse, a du vernis à ongles et des soutiens-gorge avec les gros seins dedans et comme il fait chaud, on peut bien les voir à travers

141

les chemisiers parce que l'été, les soutiens-gorge ont des trous.

« Lave-toi bien les poignets, m'ordonne ma mère en désignant là, là, et là !

— Maman, c'est qui Violette Nozière ? »

Elle hausse les épaules. Toute cette saleté dans les films. Pas besoin de lui demander où il a entendu parler de ça.

« Là, là, là, encore, c'est sale, les poignets, répète-t-elle. À la maison, place Sainte-Opportune, on lavait les mains jusqu'au-dessous des coudes.

— Pourquoi ? je demande.

— À cause du magasin, des produits chimiques contre les rats. Et à cause des Halles. C'était très sale, les Halles à Paris avant-guerre quand on y était avec Mamie. Pendant la guerre, c'était pire. Et après, ce n'était pas mieux. »

2.

« Jean-Paul !

— Jeannot ! »

Au-dessus des effluves musicaux du piano de Jean-Marc – aujourd'hui c'est du *Beethoven* – les voix d'Anne-Marie et Cécile m'appellent pour me dire au revoir. Elles me trouvent à jouer aux billes dans la chambre des parents, tirant la langue de leur faire suivre un trajet sinueux sans dépasser les bords des motifs du tapis turc.

« Alors tu pars demain ? Bon voyage et bonnes vacances.

— Vous ne venez pas ? je demande sans lever la tête de mon entreprise.

— Non, on va faire un séjour linguistique en Angleterre. On part cet après-midi.

— Toutes les deux ?

— Oui, toutes les deux. On est grandes, tu sais. »

Le petit dernier

Je cours vers elles les embrasser. Anne-Marie surtout. Cécile par politesse. Elle est blonde aux yeux bleus, mais vraiment deuxième après le vernis à ongles d'Anne-Marie et ses yeux noisette. Elles me repassent dans leurs bras comme on fait avec un animal familier.

« Pourquoi maman dit qu'elle n'aime pas les vacances à la montagne ? je demande en tripotant le collier d'Anne-Marie.

— Elle dit ça depuis toujours. Ça lui rappelle ses années de sanatorium. »

Elle me repose par terre.

« Mais alors, pourquoi elle y va ?

— Parce que Martin est l'ami de papa et qu'il a un chalet là-bas.

— Le chalet, il est aux Martin ?

— Oui, ils passent les deux mois d'été là-bas et papa est jaloux. »

Je retourne à mes billes.

« Alors bonnes vacances, Jean-Paul ! me disent-elles en chœur.

— Qu'est-ce que c'est, le sanatorium ? je demande. C'est après l'accident ? »

Anne-Marie tique. Cécile se racle la gorge.

« Non. Ça n'a rien à voir, répond Cécile sur un ton didactique. Les sanatoriums, étaient des maisons de repos après la guerre pour les gens qui avaient attrapé la tuberculose, une maladie des

144

poumons très grave. C'est pour cela que maman ne marche pas. Tu as remarqué qu'elle ne marche pas quand on va à la montagne.

— Mais… elle marche, ici !

— Oui, elle marche, ici. En fait, tu sais, maman, elle fait ce qu'elle veut. Elle marche si elle veut.

— Je ne comprends pas. Elle n'arrête pas de dire qu'elle préfère la mer ! Alors pourquoi on ne va pas à la mer ?

— Parce que papa n'aime pas l'eau.

— De toute façon elle ne se baigne pas non plus, alors… entre ce qu'elle dit et ce qu'elle fait, rajoute Anne-Marie.

— Alors qu'est-ce qu'elle aime ? je demande.

— À part faire la bouffe et aller avec les curés ? lance Anne-Marie sur un ton sarcastique alors que Cécile soupire doucement en hochant la tête. Allez, Jeannot, bonnes vacances, il faut qu'on y aille. »

*

Mon père passant beaucoup de temps à résoudre le casse-tête du placement des valises dans le coffre, le départ en vacances pour les Alpes n'a jamais lieu avant dix heures du matin – alors les portières claquent sur mon frère et moi à l'arrière et l'on s'achemine vers l'autoroute en zigzaguant à travers la banlieue pour éviter le périphérique, saturé.

On pique-nique à Tournus, en Bourgogne, toujours dans le même champ, de chips, d'œufs durs et de tomates olivettes arrosés de mayonnaise en tube, de saucisson et de *Caprice des Dieux* – sans oublier le sel car mon père en saupoudre partout. On se rend ensuite à la basilique romane où ma mère allume un cierge avec moi. Ensuite l'interminable commence : Mon père ne parvient plus à conduire à vitesse normale. Mon frère et moi avons même l'impression qu'il ralentit au fur et à mesure que la voiture se rapproche du but, multipliant les poses pipi ou itinéraires de délestage pour, immanquablement, parvenir à Grenoble chez sa mère, notre Bonne-maman, à huit heures du soir. Souvent, ma mère, qui n'a jamais touché un volant de sa vie, crie lorsqu'une voiture vient de la droite. Je sursaute alors et mon père ralentit de plus belle, comme pour conjurer un éventuel accident ou dominer enfin celui de 1968 au sujet duquel il ne se pardonne pas son absence.

Les cris de notre mère indiffèrent Jean-Marc, sans doute vacciné *in utero* contre les chocs et les froissements de tôles, mais me terrifient. Sporadiques, formés de « Ah ! » ou de « Ouh ! » brefs, ils syncopent la sérénité de ma contemplation du paysage, du recensement des voitures rouges ou du calcul de la somme des chiffres des plaques d'immatriculation des camions que mon père parvient enfin à doubler en troisième dans un affreux grondement des rouages de la boîte de vitesse suite à plusieurs tentatives en quatrième enclenchée trop tôt.

Après la très longue descente depuis Voiron, le panneau « Grenoble, 8 km » déclenche l'excitation de revoir Bonne-maman et d'être libéré de la conduite d'escargot. Reste à traverser la ville, le pont de l'Île Verte, et à monter sur les coteaux en suivant les rails du tramway. Après quelques tournants, dont un en épingle à cheveux, la vieille fontaine annonce la maison au jardin immense bordé de lauriers et de sapins. Scellée dans le pilier gauche du portail ouvert, une plaque de cuivre indique « Jules Bergamo », le nom de Bon-papa, dont je ne me souviens pas.

« Voyons, Jean-Paul, tu l'as connu, Bon-papa, déjà ? lâche nonchalamment mon père lorsqu'il parle du sien.

— Mais enfin, Robert ! Le petit n'avait pas trois ans quand ton père est mort, répond ma mère. Il ne se souvient pas ! »

Mon père passe outre, décrit son père en sociologue.

« Mais si, enfin ! Un modeste couturier de quartier d'origine italienne qui, à force de travail acharné, a réussi à faire construire une maison. »

Non, comme cela non plus, je ne me souviens de rien de mon grand-père paternel. Une photo en noir et blanc trône sur le buffet de la salle à manger et tient lieu de souvenir : à deux ans et demi, je suis attablé avec un vieux monsieur chauve devant un dictionnaire ouvert. La même photo existe avec Jean-Marc à ma place.

La voiture monte l'allée de gravier pour se garer devant la maison rose et blanche, carrée, au toit pyramidal. Bonne-maman nous attend en haut de l'escalier, à la porte de sa véranda empestant les géraniums. Mon frère et moi montons les marches en courant et lui sautons dessus, dévorons de bisous sa peau parcheminée à la bonne odeur couvrant celle des plantes.

« Mes petits ! Comment ça va, Marité ? » demande-t-elle à ma mère qui monte péniblement les marches. Elles s'embrassent. Mon père la prend dans ses bras, lui donne du « petite mère », elle du « mon Robert ». Il est son unique enfant, son enfant unique.

Elle a préparé le repas, il n'y a plus qu'à se mettre les pieds sous la table. Toujours de la soupe poireaux pommes de terre, souvent des quenelles aux olives en sauce tomate avec du fromage râpé, de la salade verte accommodée avec une huile d'olive dont ma mère déteste le goût, des fromages de chèvre et un bocal de cerises du jardin. Jamais d'alteaf. Bonne-maman laisse faire ça à ma mère.

Mon frère et moi partageons l'ancienne chambre de notre père. Je dors dans un lit-cage, Jean-Marc sur un grand matelas posé sur une estrade massive. On parle longtemps, on refait le voyage jusqu'à ce que le sommeil du premier mette naturellement fin au dialogue ou que la porte s'ouvre et qu'on nous dise « ça suffit maintenant ».

Le lendemain, après un petit déjeuner où l'on savoure la gelée de framboise et la confiture d'abricots maison de Bonne-maman, nous repartons vers dix heures, retraversons la ville en passant par les effluves de chlore des usines de Pont-de-Claix, et commençons la montée par Uriage, puis Le Bourg-d'Oisans, une laborieuse côte de mille huit cents mètres jusqu'au col du Lautaret où nous nous arrêtons pour pique-niquer sur l'herbe grasse et molle parsemée de petites fleurs jaunes et violettes devant un panorama à couper le souffle : chips, saucisson, jambon cuit, tomates olivettes avec du sel, œufs durs avec le reste de mayonnaise en tube de la veille, et au dessert les montagnes, écrasantes de majesté, blanches de neige tout en haut, grises de caillasses juste en dessous, puis vertes de mélèzes et de prairies où les marmottes sifflent et se réfugient dans leurs terriers.

« C'est bien beau, mais maintenant on doit y aller à cause de la location, dit mon père.

— Bien sûr, Robert », répond ma mère en remballant le pique-nique, lasse à l'idée de passer quinze jours dans la vallée, si proche maintenant, en contrebas, découragée à l'avance par des ustensiles de cuisine défectueux, des balais qui n'attrapent rien, dans ce village où le curé à l'accent rocailleux avait osé dire l'année précédente dans un de ses sermons fantaisistes que la Nature était le Temple de Dieu, opinion panthéiste et fausse, la Nature étant selon elle pleine de saletés, d'insectes, et de bacilles de Koch.

Nous descendons du Lautaret par des lacets vicieux et des tunnels étroits. Ma mère crie lorsqu'un camion se présente devant nous, il faut serrer à droite, tout près du vide, elle veut descendre, se passe la main sur le front, et bénit le ciel lorsque nous parvenons enfin bien à plat dans la vallée. Nous longeons la Guisane encore un peu bouillonnante jusqu'à Villeneuve-la-Salle où, gêné qu'un nom ne corresponde pas à une chose, je constate chaque année l'absence de cette fameuse salle, alors je l'imagine : une grande salle en bois, du Moyen Âge, avec des stalles comme dans les églises. Mon père savoure la route comme un cheval arrache des herbes folles sur le bas-côté, développe un discours lyrique sur les bienfaits de l'altitude, note en arrivant que les volets du chalet des Martin sont ouverts, qu'il faudra leur dire qu'on est arrivé, hein, Marie-Thérèse, il faudra leur passer un coup de fil – ma mère bougonne.

Il gare enfin la voiture devant l'agence immobilière. Jean-Marc et moi attendons dans la voiture que nos parents reviennent avec les clefs et l'état des lieux de la location, puis on repart pour le chalet, souvent le même que l'année précédente. Mon père fourrage la serrure dans un cliquetis laborieux, pousse enfin la porte d'entrée qui dévoile une obscurité odorante de bois verni, de montagne et de renfermé. Avec Jean-Marc, il ouvre tous les volets, tandis que ma mère et moi commençons l'inventaire : d'abord les ustensiles de cuisine, des petites cuillères aux casseroles en passant par les verres à eau – toujours d'anciens verre à moutarde, certains pour enfants avec des personnages de dessins animés imprimés dessus, d'autres simplement cannelés – l'essoreuse à salade, toujours cassée, le couteau de cuisine – le seul qui coupe, à manche noir – ensuite le couchage dans chaque chambre, le nombre de couvertures, de polochons, les lampes de chevet en pied de vigne, cochant scrupuleusement les cases en regard des mots sur la liste de l'agence.

151

Le petit dernier

*

« Vois-tu, me dit mon père, jusqu'au 15 août, le panorama est le suivant, d'est en ouest : la chaîne de Rochefauve là-bas en face...

— ... le pic des Chèvres à la verticale du col du Petit Galibier, et le Grand Galibier, poursuit Jean-Marc, qui connaît la leçon depuis toujours.

— Heureusement, cette année, nous avons pu venir avant le 15 août, reprend mon père. Allez, on va faire le lac Long par l'autre côté.

— Je vais avec vous ? je demande en sautant sur place.

— Non, on va avec les Martin. Toi, tu restes avec ta mère... Il faut dormir en refuge. Le lac est à plus de trois mille, c'est une bavante... tu es trop petit.

— Une bavante ? C'est rigolo ! On bave ? »

Je ris à gorge déployée, répète « on bave », « on bave » !

« C'est une marche dans la caillasse, lapin », ajoute mon frère d'un ton paternaliste et professionnel du haut de ses onze ans. Trop petit, trop nain, *le divin enfant*, pense Jean-Marc en ajustant ses chaussures. Jamais il ne pourra l'égaler en montagne ou au piano. Son avance est irrattrapable.

« Mais on le fera quand tu seras plus grand, ajoute mon père. Tu verras, la marche en montagne, c'est merveilleux. »

Je les regarde se préparer, soudés comme un seul bloc avec leur accoutrement bizarre, ces pantalons coupés au-dessus du mollet. Mon père chausse d'horribles godillots noirs voraces en cirage et bombés comme des scarabées, dans lesquels il se dit aussi confortable que dans des pantoufles.

« Tu restes avec moi faire la cuisine », me dit ma mère.

Je saute de nouveau sur place.

« D'accord, d'accord ! Un gâteau !

— Oui, on va faire un gâteau. Mais d'abord, il faut faire la vaisselle. »

Comme des naufragés sur le balcon, ma mère et moi leur disons au revoir à grands gestes de bras, puis filons vers la cuisine.

Le lendemain, en milieu de journée, les traits tirés, bronzés aux mollets et aux avant-bras, les randonneurs réapparaissent.

« Salut, les montagnards ! déclame ma mère en leur faisant signe du balcon, imitant Peter Falk dans *Colombo*. Elle sourit, a l'air contente de les revoir. Occupé à jouer aux billes, je ne comprends pas qu'elle parle comme ça puisqu'elle n'aime pas les vacances à la montagne – à moins qu'elle joue avec les mots et les intonations comme moi aux billes, observant leurs effets lorsqu'ils sont lancés.

Une fois entrés, mon père et mon frère ôtent leurs godillots et leurs grosses chaussettes. Apparaissent alors des pieds striés de l'empreinte des mailles, blancs et mous comme les gros asticots que mangent les sauvages dans les îles à la télévision. Ma mère leur sert du thé ou du chocolat chaud, le gâteau maison que nous avons préparé la veille, et du cake industriel aux fruits confits dont j'aime séparer moi-même les parts prédécoupées de mes petites mains habiles. Alors que les chaussettes rouges pendouillent sur le garde-corps du balcon, au-dessus des grosses chaussures, mon père raconte.

« Au début, c'est facile, ensuite, ça grimpe dur. Au refuge, il y avait du monde. Jean-Marc s'est très bien débrouillé, il a bien marché, c'était le cagnard sur la caillasse.

— Le cagnard, c'est la réverbération, lapin, ajoute mon frère sobrement.

— Qu'est-ce que vous avez mangé au refuge ? » je demande. J'imagine un repas pantagruélique dans un chalet de contes de fées, avec de gros rideaux, des couettes épaisses et des boules de Noël partout.

« De la purée et des saucisses, répond mon frère en bougonnant.

— Miam ! Avec de la sauce tomate ?

— Évidemment, ajoute-t-il.

— Ensuite, on s'est réveillé à trois heures, précise mon père.

— Quoi ? Mais c'est la nuit ! dit ma mère.

— Ben oui, on est des hommes ! dit mon frère.

— Vous êtes fous, ajoute ma mère en engouffrant une part de cake.

— Ensuite, on a attaqué la bavante à la fraîche, poursuit mon père. À onze heures, on était au sommet. Huit heures de marche. Les Martin, qu'est-ce qu'ils marchent bien ! On voit qu'ils sont beaucoup plus entraînés que nous, ça fait déjà trois semaines qu'ils sont là, acclimatés à l'altitude... »

Ma mère ne répond rien. Elle sait ce qu'il veut dire. Il n'est pas question de passer plus de quinze jours à la Montagne. Mon père continue, imperturbable.

« Au lac, on a cassé la croûte devant un magnifique panorama.

— Et là, vous avez mangé quoi ? je demande.

— Du saucisson, des œufs durs et des poires, assène mon frère. Et on a vu le mont Blanc. »

Je m'assombris.

« Avec de la mayonnaise, les œufs ? Vous avez fini le tube ? »

Mon frère donne le coup de grâce.

« Oui. On a fini le tube. Et des chips. Et au lac, avec des cailloux plats, j'ai réussi des ricochets de huit coups. »

Je regarde par terre. Les chips, ça peut encore passer, mais la mayonnaise, c'est trop dur à entendre. De toute façon, ma mère a raison. Ils sont fous. En même temps, si je randonne, je pourrai manger des œufs durs à la mayonnaise, parce qu'on n'en mange jamais à la maison – trop gras, trop riche, dit ma mère. Cela mérite réflexion.

*

Ma mère passe le balai dans la salle de séjour alors que je m'installe à la table du petit déjeuner

« Je suis tout seul ?

— Oui, ton père et ton frère sont partis tôt ce matin pour escalader je ne sais quoi. Toi, tu es trop petit.

— Pourquoi Anne-Marie ne vient jamais à la Montagne avec nous ? je demande en tournant rapidement avec une cuiller le chocolat dans mon bol pour former un siphon qui se déplace tout seul.

— Oh, elle est venue, Anne-Marie ! Tu ne te souviens pas, tu étais tout pitipiti, répond-elle. Elle n'aime pas ça. Elle jouait avec les petits Martin, enfin, quand ils étaient petits, parce que maintenant, ils sont grands. De toute façon, elle n'aime rien. Elle est très négative. Cécile aussi est venue tous les ans à la Montagne, tu ne te souviens pas ? Mais elle est grande aussi, elle part ailleurs en vacances, maintenant, comme Anne-Marie.

— Tu n'aimes pas la montagne ? je lui demande en créant un siphon plus profond.

— Moi, moi, moi, répond-elle. Ça n'a pas d'importance, moi…

— Mais c'est les vacances…

— Ce sont les vacances de ton père. »

Elle coupe court pour se réfugier dans la cuisine, laver le sempiternel reste de vaisselle lui permet d'éluder les conversations qui la gênent.

Je fixe le siphon chocolaté. En émerge soudain mes deux sœurs avec moi, dans le chalet de location, dans cette pièce même, comme si c'était aujourd'hui. La porte s'ouvre. Cécile et mon père encadrent ma mère comme deux gendarmes et l'assoient sur le fauteuil paillé de la salle à manger rustique. Ma mère regarde droit devant elle.

« Qu'est-ce qui se passe, qu'est-ce qu'elle fait chier encore ? demande Anne-Marie, restée au chalet pour ne pas exposer sa peau au soleil de l'après-midi.

— Elle était sur sa chaise pliante dans le champ, près du glacier, et un sérac s'est effondré, répond Cécile.

— Et alors ? C'est la Montagne, non ?

— Elle a cru qu'il y avait Jean-Marc dessous. Mais il était sur le chemin du dessus avec les Martin, en direction du refuge, je l'ai bien vu, moi !

— Je vais appeler le médecin », dit Anne-Marie.

Mais j'y étais moi aussi ! Je me souviens de ma mère sur sa chaise pliante, tranquille comme une vieille dame, et soudain un grand fracas, quelqu'un dit « les séracs », elle hurle « Jean-Marc », et un cri atroce, prolongé, répété, trop fort pour être intelligible sort de sa gorge. Ensuite, elle perd la tête, dit mon père, elle perd la tête, on la ramène au chalet, on l'installe sur le fauteuil paillé, dans le coin, près de la porte vitrée. Qui êtes-vous, Monsieur ? demande-t-elle à mon père, l'air scandalisé. Vous m'avez enlevée et séquestrée. J'exige de rentrer chez moi. Oui, je me souviens. Debout face à maman assise dans le fauteuil paillé, je suis désemparé, silencieux. Et lorsque je dis « maman, maman », elle ne me voit pas, sa tête balaie la pièce de droite à gauche comme s'il n'y avait personne. Le médecin arrive enfin. Qu'est-ce que vous voulez, Monsieur, ne me touchez pas ! lui intime-t-elle d'un ton menaçant. Je veux rentrer chez moi. Ça va aller, madame, c'est le docteur. Il lui tourne le dos le temps de préparer une seringue, lui répète qu'elle va rentrer chez elle, puis se retourne et la pique, ordonne qu'on la transporte dans son lit et dit que ça ira mieux demain. Oui, tout me revient. Elle ne se souvient de rien à son réveil. Elle demande où est Jean-Marc. On lui répond qu'il va bien, qu'il est au refuge, elle dit qu'elle a faim.

Je regarde mon bol. Le siphon a disparu. Le chocolat est froid, nappé de peaux de lait brunâtres, écœurantes. Dans le coin, près de la porte-fenêtre, le fauteuil paillé. Là-bas, dans la cuisine, à récurer des casseroles, elle ne se souvient de rien, n'en dit rien.

Je me lève pour prendre un autre bol dans le buffet, me ressers du chocolat en poudre, y verse du lait et crée un nouveau siphon avec la cuiller. J'y perds mon regard. La question et sa réponse surgissent soudain, simples : aurait-elle crié comme ça avec moi sous le glacier ? Non, bien sûr que non. Elle préfère Jean-Marc. Moi aussi, d'ailleurs. C'est naturel, Jean-Marc est fort comme un aimant. À la fin des vacances, je retrouverai Anne-Marie à la maison. Nous prendrons le thé.

« Jeanmajeanpaul ! Viens apporter ton bol pour la vaisselle ! Ensuite on fait deux ou trois courses ! »

*

« Cette année, Jean-Paul va pouvoir faire le lac Long. Il marche bien. »

Ma mère tique.

« Vous allez au refuge ?

— Non, on va le faire par le Grand Galibier. C'est une balade plus courte, la journée seulement. On y va avec les Martin. »

Je suis fier. Depuis que Jean-Marc dédaigne la randonnée pour se consacrer exclusivement à l'escalade, je suis le nouveau compagnon de marche de mon père et peux enfin accéder aux œufs mayonnaise.

« Tu as bien tes chaussures ? »

Mon père m'a acheté d'énormes chaussures rigides dans un magasin de Briançon.

« Elles me font mal au pied.

— C'est normal, il faut les casser, ensuite tu marcheras bien avec. Allez, on y va. On va chercher les Martin à leur chalet. »

J'aime bien aller chez les Martin. Ils ont une cheminée et font des barbecues. Les chalets de location n'ont jamais de cheminée, et il est interdit de faire des barbecues sur le balcon.

« Comme tu as grandi ! dit Bernard Martin. Alors tu suis les traces de ton frère ?

— Ah oui ! rajoute sa femme. Bonjour, Jean-Marc, euh… Jean-Paul. Ça va bien ?

Le petit dernier

— Voilà, c'est Jean-Paul, le petit dernier, dit mon père en oscillant d'une jambe sur l'autre. Il va marcher, maintenant.

— Jean-Paul... bien sûr, dit-elle.

— On y va ? propose Martin. »

Mon père traîne. Quand il est au chalet des Martin, il a l'impression que ses vacances durent plus longtemps, autant que leur séjour de deux mois.

« On va prendre une seule voiture, je vais conduire si tu veux », dit Martin.

Au départ du sentier du Grand Galibier, on quitte les espadrilles pour les gros godillots.

« Vois-tu, me dit mon père, la montagne, c'est ma respiration annuelle. Ici, dans les Alpes, c'est la vraie montagne, pas comme les Pyrénées. »

Dans mon petit sac à dos, je porte une gourde, les œufs durs et la mayonnaise en tube. Mon père a le reste du pique-nique. La sueur colle la chemise compressée par le sac.

« J'ai soif !

— Il ne faut pas boire, pas maintenant, ça coupe les jambes, me répond mon père.

— Mais j'ai soif !

— Ton père a raison, dit Martin. Avant la caillasse, on fera une pause abricot sec. Là, on boira. Pourtant, il fait frais, dans la forêt, tu ne trouves pas ? »

Martin a raison. Il fait frais dans la forêt. Je pense que ma mère n'aime pas la montagne. Moi non plus. Enfin, si, un peu. J'aime un peu. Je ne peux pas aimer complètement puisqu'elle n'aime pas. Je ne comprends pas ce qu'elle aime.

« Allez, dit mon père, on fait la pause. On a bien marché, il n'est que dix heures. »

Je me jette sur la gourde, grignote un abricot sec en observant une grande fleur mauve qui oscille sur le chemin. Mon père et Martin parlent politique. Martin est professeur à l'Université. Le gouvernement les méprise. Mon père acquiesce mollement, se demande si le budget est si bien géré que ça, se demande quelle règle de comptabilité publique s'applique dans tel cas, si l'on peut dégager des crédits sous forme d'autorisation d'engagement de l'année antérieure, c'est compliqué. Martin n'y comprend rien. Son domaine, c'est la mécanique des fluides.

« On y va, les garçons ? » dit la femme de Martin.

Nous sortons de la forêt sur une montagne pierreuse baignée de lumière et attaquons les lacets qui zigzaguent dans la caillasse. Ça crisse à chaque pas. La chaleur qui monte du sol chauffe les pieds doucement. Le soleil cogne les cous.

« Tu vois, Jean-Paul, c'est ça, une bavante », me dit mon père.

Martin continue de se plaindre du gouvernement. Mon père essaie de comprendre, de trouver une raison. L'État ne peut pas mal faire. L'État veut le bien de tous.

Le temps s'abolit dans les crissements des semelles sur les cailloux, le rythme lent des pas. On monte sans s'en rendre compte. En contrebas la forêt est maintenant toute petite.

« Ne te retourne pas, n'essaie pas d'aller trop vite, marche régulièrement », me dit mon père.

Le sol défile comme le ballast sous un train très lent.

« On est bientôt arrivé, dit Martin. Encore dix lacets.

— J'en peux plus, je dis.

— Pense aux œufs mayonnaise », répond mon père.

J'accélère le pas. La sueur coule froid dans mon dos, je frissonne.

Personne ne parle plus. La bavante a eu la peau des récriminations de Martin contre l'État. Devant, un mouchoir sur la tête, il ressemble à un cheikh. Sa femme, tête basse, les mains derrière le dos, clôt la colonne à petits pas. Mon père, derrière moi, marche la bouche grande ouverte – un peu de bave coule de la commissure de ses lèvres.

« Ah ! c'est une bavante, lâche-t-il à intervalles réguliers.

— On y est ! annonce Martin, c'est là ! »

Nous débouchons enfin, et c'est la pause. Je termine ma gourde. En bas, la forêt est minuscule.

« Pique-niquons au lac, dit mon père. C'est dans dix minutes. »

On se remet en marche d'un pas léger – rien que du plat. Bientôt les œufs.

Au lac, le silence est ponctué par le masticage des chips et les cris des choucas tournoyant au-dessus des peaux de saucisson. Le ciel et les sommets se reflètent dans son miroir de carte postale. Je lance quelques cailloux plats pour faire des ricochets, comme Jean-Marc m'a montré le geste la veille. On peut facilement en faire six, m'a-t-il juré. Là, au lac, ça ne marche pas bien. Je n'arrive qu'à trois.

On attaque enfin les œufs. Les coquilles se détachent facilement, ma mère les a brisées dans l'eau froide au sortir de la cuisson. La mayonnaise sort du tube en boudins étoilés. En cachette, je l'aspire rapidement à même le tube – un régal écœurant.

« Alors, fils, le lac Long ? »

Je ne sais pas trop quoi répondre.

« Tu as bien marché, c'est bien ! Et... tu as vu le bunker ? Tu vois, là-bas, ce sont les Allemands qui l'ont construit. »

Je regarde la construction massive et mutique donnant à la montagne des angles droits et de drôles de fenêtres en accordéon.

« Les Allemands ? Pourquoi faire ?

— Ils en ont construit un peu partout dans le Briançonnais. Pendant la guerre, ils étaient avec les Italiens. Celui-là, je ne vois pas pourquoi. Peut-être contre les avions, ou pour servir de refuge ou de magasin – on ne descend pas sur l'Italie, par là. Tu sais, toi, Bernard ?

— Je pense qu'ils ont fait une erreur, répond doctement Martin. Ce bunker ne sert à rien ici. Il n'a jamais dû servir. Tu le sais, toi chérie ? »

Sa femme hoche la tête négativement.

On termine le pique-nique en silence. Les Martin s'allongent dans l'herbe alors que mon père trouve un coin pipi près des éboulis, puis s'essaie aux ricochets, sans les succès de Jean-Marc. Je dispose des boîtes de sardines rouillées sur des grosses pierres et les renverse avec des cailloux lancés de loin, puis de plus en plus près. D'autres randonneurs débouchent de la caillasse d'un pas de chasseur alpin, portent des sacs d'où pendent des cordes, des crampons et des casques. Le temps de leur dire bonjour, ils sont déjà loin.

« Ils tracent, ils vont au refuge, constate mon père en les regardant monter. D'ailleurs, là-haut, ce n'est pas fameux. » Le cou dressé vers le ciel, il observe le mouvement des nuages en ouvrant la bouche, comme pour les gober. « Il ne faut pas tarder, annonce-t-il. Ça se couvre. Le temps change très vite au-dessus de trois mille, il faut faire attention.

— Tu as raison, approuve Martin, il faut y aller. »

Dans la descente, les orteils choquent le bout des chaussures dans d'affreuses glissades, les semelles se transforment en plaques de cuisson et surchauffent la plante des pieds.

« On va casser les zigzags pour aller plus vite, crie mon père. Attention, dans la caillasse, c'est le talon en premier ! » Il montre l'exemple en se lançant dans l'éboulis, glissant comme un gamin sur le tapis roulant de cailloux.

La forêt arrive vite, puis la voiture, comme si tout le temps avait été consacré à la montée.

En fin de journée, les traits tirés, bronzés aux mollets et aux avant-bras, nous réapparaissons devant le chalet. Je claudique.

« Salut, les alpinistes ! » déclame du balcon ma mère à la *Colombo*.

J'enlève alors mes chaussures, mes chaussettes et mon pantalon de varappe, libérant de frêles pieds blancs parsemés d'ampoules.

« Ce n'est rien, il faut les percer et mettre du mercurochrome », dit ma mère.

Pendant qu'elle s'affaire, je constate avec fierté la présence du signe du montagnard, la ligne horizontale délimitant genoux blanc et mollet cuivré. Elle affiche l'effort, le dédain de l'esthétique du bronzage, **mais** aussi l'orgueil de se croire au-dessus de **tous**. Je l'aurais bien montré à Anne-Marie pour qu'elle me dise qu'elle est fière de moi, mais elle est partie. Heureusement, madame Sastre pourra voir la ligne. Je m'arrangerai pour la lui montrer en venant à l'école en short.

3.

Un homme barbu entre dans la classe. Je pense tout de suite que c'est une erreur, madame Sastre a dit qu'elle nous suivait dans la classe d'après, j'ai déjà préparé mes cahiers pour elle, je les ai recouverts avec beaucoup de soin, j'attends qu'elle vienne les vérifier avec ses mains baguées aux ongles vernis de rouge et me donne un bon point en me félicitant de sa voix comme celle d'Anne-Marie.

« Où est madame Sastre ? demandé-je d'un ton offusqué sans même lever le doigt.

— Madame Sastre ? Qui est-ce ? réplique l'homme barbu.

— La maîtresse ! Notre maîtresse ! » Je n'ose pas rajouter qu'elle porte des chaussures à talon et qu'elle est sexy.

L'homme se passe la main droite sur la barbe en signe de perplexité. Son visage s'éclaire soudain.

« Votre maîtresse de l'année dernière ?

Le petit dernier

— Madame Sastre est notre maîtresse depuis deux ans, depuis le CP. Elle nous a promis de faire une année de plus avec nous.

— Ah, oui ! On m'en a parlé. Elle n'est plus dans cette école. C'est moi votre maître pour cette année de CE2. Je suis monsieur Bouchet. »

Je m'agite sur ma chaise. Ce n'est pas possible. Ce n'est pas vrai. Je suis le premier de la classe avec elle ! J'interroge du regard Michel, mon meilleur ami, assis à côté de moi. Il reste muet. Je me lève, crie haut et fort.

« Ce n'est pas possible ! Ce n'est pas vrai ! »

Monsieur Bouchet me regarde dans un mélange de fascination et de perplexité. C'est sa première classe. Le directeur lui a juré qu'il n'a hérité d'aucun perturbateur, même s'il faut s'attendre à tout avec les enfants.

« Comment t'appelles-tu ? me demande-t-il.

— Peu importe mon nom, je parle pour tout le monde ici, lui dis-je en pensant que Jésus lui-même aurait répondu ainsi. Il faut aller voir le directeur, il y a une erreur. Notre maîtresse, c'est madame Sastre. »

Monsieur Bouchet se frotte de nouveau la barbe, puis lâche :

« D'accord, dit-il. Puisque tu sembles représenter la classe, nous irons tous les deux voir le directeur à midi. Tu veux bien ? »

169

Rasséréné, j'acquiesce. On va voir ce qu'on va voir. Autour de moi, les copains sont impressionnés. Les filles aussi. Elles vont m'aimer, c'est sûr.

À midi et quart, je sors du bureau du directeur en courant à perdre haleine. La maison n'est pas loin, j'y serai bientôt. Devant moi, les jambes de madame Sastre se croisent et se décroisent, et les mains d'Anne-Marie servent le thé. Mon cœur bat comme un tambour, mes tempes bourdonnent. Voilà la maison ! Sans prendre la peine de dire « c'est moi », je monte ventre à terre les deux étages, me précipite dans la chambre d'Anne-Marie et referme la porte derrière moi. L'odeur. La moquette vert foncé râpeuse. Tout est là encore. Je m'apaise lentement. Le bac à disques aussi. Les *Danses hongroises* de Brahms. Les tours coniques en ardoise qu'elle aime bien comme des glaces à lécher. Je m'assois sur le lit. Madame Sastre arpente la classe dans sa jupe élégante au-dessous du genou. Ses orteils sortent en gerbes vernies de sandales aux lanières compliquées et parcourent la moquette verte jusqu'au cabinet de toilette. Ses bras bougent comme ceux d'Anne-Marie lorsqu'elle sert le thé. Madame Sastre saisit la pochette des *Danses hongroises* de Brahms et lèche une tour en ardoise. Elle me regarde avec ses ongles vernis rouges, elle est *sexy, sexy, sexy*. Elle s'interrompt pour ouvrir délicatement une petite boîte en bois, me donne un bon point, referme la boîte puis met toute la tour dans la bouche et la suce comme ça, en bougeant sur Gainsbourg soixante-neuf, elle est *éro-tique, éro-tique*. On frappe à la porte. En sueur, je sursaute. La voix de Cécile.

« Jean-Paul ? Je peux entrer ? »

Je me lève pour lui ouvrir.

« Qu'est-ce que tu fabriques ? » demande-t-elle doucement.

Elle me regarde en souriant de ses yeux bleus, la tête un peu penchée sur le côté. Ses cheveux blonds tombent sur ses épaules.

« Rien. Je regardais l'école par la fenêtre de chez Anne-Marie.

— Toujours dans l'ancienne chambre d'Anne-Marie, n'est-ce pas ? Tu veux venir dans ma chambre ? »

Sa présence attentionnée me rassure. Je la suis. Je vais rarement dans sa chambre sous les combles où l'on ne peut pas se tenir debout partout à cause de la pente du toit.

« Alors, cette rentrée, tu es content de ta maî-tresse ?

— C'est un maître, dis-je d'une voix étranglée.

— Tu n'as plus madame Sastre ? »

Une larme coule, puis plusieurs. Je ne peux pas dire ce que je ressens, cette impression de ne plus savoir qui je suis.

« Tu pleures ? Tiens, prends un mouchoir. Pourquoi tu pleures ? »

Je m'entends dire dans un braillement qu'elle est partie, qu'elle ne reviendra pas. Le directeur l'a dit, elle est partie. De gros hoquets me secouent. J'entends la voix de Cécile, suave, tranquille, me dire que c'est exceptionnel d'avoir la même maî-tresse pendant deux ans, et qu'un maître, c'est très bien aussi, surtout pour les grands garçons de huit ans comme moi.

Je me mouche bruyamment, vois qu'elle verse de l'eau chaude dans une tasse et y plonge un sachet.

« Qu'est-ce que tu bois ? Du thé ? dis-je à tra-vers le mouchoir.

— Oui. Du thé vert. C'est très bon pour la santé. Tu veux goûter ? Attention, c'est chaud, il faut attendre un peu. Du Earl Grey ?

— Tu as des gâteaux ? je demande en cher-chant des yeux un paquet de scones ou de muffins.

— Non. Mais je peux en avoir si tu veux. Tu aimes les gâteaux chinois ?

— Je ne sais pas.

— Je te ferai goûter. »

4.

« C'est Jean-Paul, qui vient de passer ?

— Mais oui, Solange ! Jeanmajeanpaul, viens dire bonjour à madame Martinet ! »

Je redescends les quelques marches que j'avais montées et apparais au salon pour embrasser Solange Martinet. Elle et ma mère prennent le thé au salon. Je l'aime bien, elle est très gentille au catéchisme. Je ne comprends pas pourquoi elle se fait les ongles très longs, crochus et vernis en rouge brillant – crochus, ça la disqualifie un peu pour être parmi mes femmes, mais je passe au-dessus de ce désagrément, aussi parce qu'elle est la seule dame catéchiste à se maquiller comme une putain sexy.

« Comment ça va, Jean-Paul ?

— Ça va bien, merci madame Martinet. »

Je l'embrasse. Elle sent un parfum fort que je n'aime pas, mais ça reste, et ça j'aime.

« Je suis là-haut, je dis à ma mère.

— Au revoir, Jean-Paul.

— Au revoir, madame Martinet, je lui réponds avant de quitter le salon et de refermer la porte.

— Il est grand pour son âge, chuchote Solange. Toujours aussi noiraud... comme il vous ressemble ! Vous devez être folle de joie !

— Maintenant, répond ma mère à voix basse en ignorant la remarque de son invitée, chaque fois qu'il rentre de l'école, il monte directement chez Cécile, sa grande sœur. Dès qu'il a un moment de libre, il file là-haut. Je le sais, je l'entends monter l'escalier. Ils parlent, ils prennent le thé là-haut ! Figurez-vous, Solange, elle a une bouilloire, alors... comme il le faisait avec Anne-Marie ! Mais notez bien que Cécile est tout le contraire d'Anne-Marie. À vingt et un ans, elle va toujours à la messe – pas toujours avec nous, mais elle y va, ça fait plaisir. Et elle suit des cours de théologie. Mais enfin, d'un autre côté, elle lui présente ses amies : Colette, Sophie, Jeanne, Audrey – il est toujours fourré avec elles... »

Fourré ? Solange se racle la gorge. Jean-Paul est excellent élève au catéchisme. Elle ne l'imagine pas être... elle espère qu'il n'est pas... elle ne sait pas comment dire son appréhension. Il n'a que neuf ans. Ma mère remarque son trouble.

« Oh ! elles ne lui font rien, enfin ! Mais ce sont des filles un peu bizarres. Cette Colette est étudiante en psychologie… psycho, comme on dit, vous voyez ce que je veux dire, souvent des jeunes déséquilibrés. Sophie et Jeanne sont en droit avec Cécile, à l'aumônerie de la fac. Cela me rassure. Audrey, je ne la connais pas. Elle ne fait rien, fréquente une espèce de type qui joue de la guitare dans les bars…

— Rien d'alarmant, Marie-Thérèse, reprend Solange sur un ton conciliant. À propos, j'ai Fred Camelos au catéchisme. Il ne tient pas en place ! Il est dur, il n'arrête pas !

— Mais, s'exclame soudain ma mère, ce Fred Camelos, je l'ai eu l'année dernière ! Il est beau comme Steve Mac Queen ! »

Solange est décontenancée. Il ne lui est jamais venu à l'idée de comparer un enfant de neuf ans à un acteur de cinéma hollywoodien, et cela l'étonne beaucoup de ma mère, si pieuse. Elle revient à moi, cherche à la rassurer sur ma moralité.

« En tous les cas, Marie-Thérèse, au catéchisme, Jean-Paul m'a fait l'autre jour une excellente réponse. Il était le seul à savoir ce que signifie l'inscription INRI au-dessus de la Croix. Si vous saviez ce que m'a sorti Fred Camelos, justement ! C'est à la limite de l'indécence ! Une marque de fromage ! INRI, une marque de fromage ! Heureusement que Jean-Paul était là, je ne savais plus où me mettre. Il est resté silencieux pendant que les autres riaient, alors je lui ai demandé, et il a tout dit parfaitement : c'est l'inscription sur le panneau que les Romains ont mis en haut de la Croix au-dessus de la tête de Jésus, les initiales en latin de Iesus Nazarenus Rex Iudoeorum, Jésus le Naza-réen Roi des Juifs. Il a même rajouté que les Romains se moquaient de lui en inscrivant cela alors que c'est vraiment le Roi des Juifs. Je vous assure que j'en ai rougi de plaisir. Son ami Michel a même sifflé d'admiration. Qu'est-ce qu'il est gentil, ce petit Michel, vous ne trouvez pas ? »

Ma mère écoute à peine Solange. Il lui revient, depuis qu'elle a parlé de Steve Mac Queen, que son frère Jean-Marc a quarante-cinq ans aujourd'hui 5 avril. Vingt ans qu'ils ne se voient plus. Il ne répond pas au téléphone, ne donne aucune nou-velle. Elle ne comprend pas pourquoi. Elle a fait une remarque sur sa femme, la belle affaire ! Et il répond qu'il en a marre d'elle ? Elle qui l'a torché quand il était gosse ! Et lui qui à treize ans a cassé son violon sur sa tête à elle ! Son violon ! Sur sa tête à elle ! Elle en a pissé le sang ! Et en l'injuriant par-dessus le marché ! Satan, Satan, Satan ! elle lui crie dessus avec le sang qui coule, et le gifle. Mamie intervient et lui donne le martinet, le fouette, fouette, fouette !

« Et comment va Jean-Marc ? » demande Solange.

Ma mère regarde le masque de fond de teint, les paupières mauves et la bouche rouge qui lui parle. Si elle s'était fait une tête comme ça, sa mère l'aurait frappée et fichue dehors. Dehors, la putain, la putain des Halles ! crie-t-elle le jour où elle essaie le rouge à lèvres qu'une amie lui prête – elle dévale l'escalier les larmes aux yeux, erre place Sainte-Opportune, devant les rongeurs empaillés exposés piégés dans la vitrine, entre les Forts des Halles transportant des carcasses de bœufs et les prostituées qui attendent le client. L'une d'elles, atrocement fardée, la remarque et lui lance, comme Solange, inquiète : « Marie-Thérèse, comment va le petit Jean-Marc ? Enfin, il doit être grand maintenant, ça grandit vite ! »

Ma mère ne sait pas quoi répondre, grimace, puis fond en larmes.

« Oh ! Je suis désolée… excusez-moi… lui est-il arrivé quelque chose ? demande Solange, effarée.

— Non ! Mais non ! » la rassure-t-elle entre deux hoquets.

Elle se mouche. Ça ne dure jamais longtemps.

« Ce n'est rien. Reprenez du thé. C'est un adolescent, vous savez. Il dit qu'il est beau, il s'embrasse dans la glace ! C'est vrai qu'il est beau, mais enfin ! Quand il ne joue pas du piano, il ne pense qu'à l'escalade. Figurez-vous qu'il a voulu escalader la maison. Il était en train de planter un

177

de ses fichus pitons dans le mur quand je suis revenue à temps de la messe mercredi dernier. Et vous savez ce qu'il me dit ? Il faut bien que je m'assure ! »

Solange pousse des « Oh ! » et des « Ah ! » et demande si elle peut reprendre un peu de cake.

« Mais bien sûr...

— Et Anne-Marie ? Toujours sans nouvelles ? »

Ma mère affiche une moue dédaigneuse.

« Elle envoie des cartes postales d'animaux à Jean-Paul. Vous savez, Solange, je vais vous dire une chose. Anne-Marie a toujours été très négative. Depuis toujours. Robert dit qu'on y peut rien, c'est sa nature. Mais voulez-vous encore une tasse de thé ? Je vais refaire de l'eau chaude à la cuisine.

— Mais volontiers, Marie-Thérèse, volontiers. »

Je décolle immédiatement mon oreille de la porte du salon et monte voir Cécile en courant sur la pointe des pieds.

5.

En équilibre sur le rebord de la tête de son lit, Jean-Marc se bat avec les plis d'une carte d'État-major qu'il tente de plaquer au mur sous un poster de sommet himalayen.

« Merde fait chier ! » crie-t-il.

J'accours, le vois la tête couverte de la carte repliée.

« Qu'est-ce qu'il y a ?

— Putain, je vais me casser la gueule ! Lapin, tiens-moi la carte s'il te plaît, je ne veux pas qu'elle se froisse. »

Je monte sur le lit et récupère la carte. Jean-Marc fait un bond gracieux et touche le sol.

« Tu veux que je t'aide ?

— Oui, d'accord, tiens la carte là, bien collée au mur. »

Je m'exécute.

« Voilà, ne bouge pas. Je vais en mettre plein

pour pas que ça tombe, dit-il en enfonçant une punaise tous les dix centimètres.

Très près de mon visage, je distingue une suite de titres de poèmes éparpillés en italiques noires sur fond vert : *Massif des trois pignons, Rocher de la Reine, Canche aux Merciers, Coquibus, Cul de chien, Gros sablons, Diplodocus, Roche au Sabot, Chamarande, Le Pendu, Sanglier.*

« C'est Fontainebleau, c'est ça ? je demande.

— Oui, il faut que je m'entraîne puisque je ne peux pas descendre quand je veux, seulement pour les vacances.

— Descendre ?

— Dans les Alpes. On va faire le bas, maintenant. »

Je continue de lire : *Apremont, Franchard, Gorges du Houx, Le Calvaire, Mont Aigu, Mont Ussy, Restant du Long Rocher, Rocher d'Avon, Rocher Canon, Rocher des Demoiselles, Rocher Saint-Germain.* Tous ces noms me rappellent des aventures de mousquetaires galopant à cheval dans la forêt de Fontainebleau, où nous allons souvent en promenade avec nos parents. Jean-Marc en profite pour nous fausser compagnie et grimper sur les rochers, ça rend ma mère folle de crier tout le temps pour savoir où il se trouve dans le dédale des blocs de grès disséminés çà et là comme autant de carapaces pétrifiées d'animaux disparus.

« Dimanche, je vais à Barbizon en mob et je fais le 3 AD.

— Qu'est-ce que c'est ?

— Un circuit de rochers assez difficile. AD, ça veut dire Assez Difficile. Regarde sur la carte, c'est plus simple. Du carrefour du Bas Bréau, on arrive à la route Marie-Thérèse, et ensuite le circuit commence, je vais le marquer. De toute façon, à Barbizon, tout part de la route Marie-Thérèse. »

Jean-Marc s'empare d'un crayon orange, saisit le guide des rochers de Fontainebleau resté ouvert et retranscrit le trajet sur la carte, une suite de zigzags à travers les zones vertes.

« Voilà, ça donne à peu près ça. Ce n'est pas très représentatif. Il faut y aller pour voir, ou étudier le guide. »

Sur le guide, les photos des rochers les plus remarquables sont accompagnées de légendes techniques et de croquis indiquant les voies et les prises. Jean-Marc sort de dessous son lit ses chaussons d'escalade, à la semelle de caoutchouc noire et lisse et les met dans un petit sac à dos de randonnée.

« Tiens, passe-moi le pof, me commande-t-il.

— C'est quoi ?

— La résine de colophane. Tu vois, c'est dans un chiffon qu'on ferme et que l'on tapote sur les semelles des chaussons pour une meilleure adhérence. »

Le petit dernier

Je touche le petit ballot de tissus gonflé de poudre et le lui passe.

« Ça fait "pof pof" quand on tape les chaussons avec. Je ne peux pas le faire dans la chambre, ça en met partout. »

Il place délicatement le pof dans un sac en plastique dont il noue les anses et le jette dans le sac à dos pendant que je remarque par terre un drôle d'instrument, deux manchons rouges en bois reliés par un gros ressort.

« Et ça, qu'est-ce que c'est ?

— C'est pour muscler les mains. Tu le prends dans la main et tu appuies. »

Il comprime l'outil dans sa main droite plusieurs fois. Le mécanisme grince comme un ressort de vieux sommier.

« L'idéal est d'en faire un peu tout le temps. Tiens, essaie », me propose-t-il, confiant dans mon incapacité. Sans même me regarder m'acharner à rapprocher en vain les deux manchons de ma main maigre et trop petite, il continue à ranger ses affaires sereinement. Le *divin enfant* n'y arrivera jamais. Lui, est supérieur depuis toujours. C'est tout. C'est naturel. En plus, lui est beau et l'autre laid avec ses grandes oreilles de lapin.

Je réussis à le faire une seule fois en appuyant de mes deux mains, puis jette l'éponge, lui rends l'outil.

« C'est trop dur ! je m'écrie. Comment tu fais ? »

Jean-Marc exécute cinq couinements rapides de la main droite, puis cinq de la main gauche, et le lance dans son sac à dos en souriant comme un play-boy dans les films américains.

« Qu'est-ce que j'ai oublié ? Ah oui, le paillasson.

— Le paillasson ?

— Ben oui ! Il faut s'essuyer les pieds avant de grimper ! »

Il descend l'escalier en trombe, je le suis jusqu'à la cave. Il prend une pince coupante dans la boîte à outils de notre père, remonte dans le hall, ouvre la porte de la maison et découpe un long rectangle dans le paillasson.

« Tu coupes le paillasson ?

— Seulement un bout, les parents ne verront rien. »

Il remonte le mettre dans son sac, puis redescend faire son piano au salon. Je le suis, le regarde jouer et l'écoute jurer à cause des fausses notes. Michel, qui a un grand frère aussi, me dit que c'est pareil. Le sien, c'est à la guitare. Il en a déjà cassé deux.

*

« Tu viens avec moi à la piscine ? »

183

Le petit dernier

Je réponds oui sans trop savoir pourquoi. Peut-être parce que je n'ose pas dire non. Cécile me prête un casque, je m'assois à l'arrière de sa moby-lette et m'accroche à elle comme un koala à sa mère, sursautant sur les nids-de-poule qui parsè-ment la route.

L'eau des bassins me pique les yeux. Comme mon père, je n'aime pas trop ça. Cécile adore. Elle nage des kilomètres, me laissant dans la zone de un mètre vingt, à barboter, faire le poirier ou un peu de sous l'eau. Ensuite, je nageote vers la plus grande profondeur, trois mètres quatre vingts, saute du plongeoir de un mètre. J'aime le moment où je remonte comme un ludion, me retrouver à la surface après une immersion totale mais tempo-raire. J'ai essayé le plongeoir de trois mètres mais en garde l'impression que l'estomac remonte dans la tête. De toute façon, il est toujours fermé à cause des gens qui nagent dessous.

Je ne reste jamais longtemps dans l'eau. Je m'enroule dans la serviette et attends qu'elle ter-mine. Assis sur les gradins, je l'observe dans son couloir en maillot noir une pièce. À la surface émerge sa bouche de poisson qui gobe l'air et dis-paraît, gobe l'air et disparaît, gobe l'air et disparaît. Sa nage peut durer longtemps, mais je suis patient car j'attends la soupe à la tomate du distributeur automatique, à la sortie. En fait, bien au chaud dans ma serviette, je savoure à l'avance le meilleur moment : en hiver lorsqu'on pousse la porte de la piscine vers l'extérieur : le contraste de l'air froid sur la peau et du gobelet de potage à la tomate brûlant à la main, le fond du gobelet surtout, qui concentre tout le sel de la soupe – c'est pour ça que j'accepte d'y aller. Pour le moment de la sortie – non, pas seulement. Pour le trajet en mobylette, aussi.

Quand elle sort enfin, les hommes la regardent. Ingrid Bergman, dit mon père. Cécile, c'est Ingrid Bergman. J'ai vérifié sur un livre de cinéma, j'ai trouvé une photo, c'est vrai, sauf qu'elle ne se maquille pas depuis que ma mère l'a traitée de putain dans l'escalier à cause du fard à paupières qu'elle s'était mis. Je m'en souviens, j'étais dans l'escalier aussi. Ma mère avait même rajouté quelque chose comme « tu vas finir comme ta sœur ». Cécile avait tout enlevé et n'en a jamais remis depuis.

De retour à la maison, on prend le thé dans sa chambre sous le toit.

« Tu as des nouvelles d'Anne-Marie ? me demande-t-elle de temps à autre, d'un ton qui ne laisse rien transparaître. Elle sait que je lui écris et que je reçois des lettres d'elle.

— Je lui écris, et elle me répond. Ça va.

— Elle te dit ce qu'elle fait ?

— Non, elle m'envoie des cartes postales avec bisous derrière. »

Sa copine Colette est souvent là, vautrée au pied du lit sur le tapis en peau d'animal à poils longs. De sa voix cristalline, elle lui parle inlassablement du yoga, de ses origines, de ses bienfaits.

« Ramakrishna dit que le pur *sattva* ne se trouve que chez peu de personnes, Cécile. Des personnes comme nous peuvent y accéder en se débarrassant des éléments rajasiques. »

Cécile opine de la tête en silence.

« En psycho, on fait tous du yoga ou des psychothérapies, c'est normal, dit-elle. Vous, en droit, vous devriez, vous êtes trop rigides.

— Ma mère se méfie du yoga. Elle dit que ce n'est pas catholique, répond Cécile.

— Tu lui diras qu'il n'y a pas de contradiction, répond Colette. Sivananda dit *ekam eva advaïtam*, qui veut dire "Je suis l'Un sans second". C'est ce que dit Jésus quand il dit que Dieu et lui font Un.

— Mais oui, Colette, s'écrie Cécile, c'est exactement ce que dit le Christ ! Le Christ a donc atteint cet état de... de... comment déjà ?

— *Bodhisattva*, la conscience de Bouddha, mais oui, Cécile ! L'anéantissement des illusions.

— Qu'est-ce que c'est, Colette ? je demande.

186

— Jean-Paul, Sivananda dit que les vieilles *samskâras* persisteront et résisteront, mais la volonté pure et forte finira par triompher d'elles. »

J'opine de la tête, crois bien voir ce que cela signifie. Les vieilles *samskâras*. Bien sûr. L'énorme poitrine de Colette bouge comme du flan sous son pull-over, mais je déteste franchement ses gros orteils fades ligotés dans des sandales à fines lanières trop serrées, qui marquent comme un gigot, et elle n'aime pas vraiment Jésus puisqu'elle est en psycho. La psycho, c'est pour les fous, c'est ce que dit ma mère et elle a raison, ça se sent. De toute façon, rien n'est plus beau que les ongles de pied d'Anne-Marie.

6.

Mon père rentre comme d'habitude à huit heures moins le quart. La table est mise, tout le monde l'attend pour dîner. Je lui saute au cou avant même qu'il pose à terre sa lourde serviette de cuir noir.

« Bonsoir, fils ! » dit-il.

Ensuite, ma mère me demande de sonner la cloche pour le repas. Je la saisis dans la petite armoire, et l'agite. Une cloche assez grosse, qui teinte gravement. On l'entend du deuxième étage.

« Qu'est-ce qui est arrivé au paillasson ? Quelqu'un sait ? » demande ma mère en servant la soupe poireaux pommes de terre.

Je regarde Jean-Marc le nez dans son assiette.

Mon père aspire sa soupe. Il n'entend pas les histoires de paillasson. Il applique la maxime de droit romain *De minimis non curat praetor*, les affaires minimes n'intéressent pas le magistrat. Entre deux cuillerées, il évoque le déficit des finances publiques.

Il se creuse et envahira tout si l'on ne fait rien, c'est certain, il faudra de nouvelles mesures de rigueur. Cécile l'écoute religieusement, jusqu'à ce que ma mère lui demande de débarrasser les assiettes à soupe et d'apporter le plat dans le four. Le service lui est dévolu depuis le départ d'Anne-Marie qui a bouleversé le plan de table auparavant immuable : moi en bout de table entre ma mère et mon père, sans doute la trace de la présence d'une chaise haute, lorsque ma mère me faisait manger ; Jean-Marc à gauche de mon père, face à Anne-Marie – je l'imagine encore là, la vois souvent à table ; ma mère et Anne-Marie dos à la porte de la cuisine, pour faire le service ; Cécile à l'autre bout de la table, en face de moi. Elle peut aussi faire le service, mais doit alors passer par le hall d'entrée pour atteindre la cuisine – c'est un peu plus long. Maintenant, Cécile comble la place d'Anne-Marie à côté de ma mère et fait le service plus facilement.

Oui, c'est inexorable et naturel comme la loi de la gravitation : Cécile comble la place laissée vacante par Anne-Marie, je le sais. Je me lèche les babines lorsqu'elle dépose sur le dessous-de-plat un gratin fumant d'endives au jambon. Je sais que je n'aurai pas besoin d'en demander pour en avoir, car le plat ne circulera pas de main en main. D'habitude, mon père se sert le dernier et repose le plat au centre de la table. Je dois alors lui faire remarquer qu'il m'a oublié. Alors il dit toujours « Mon pauvre ami, on t'a oublié ! ». Là, le gratin est trop chaud pour tourner, il suffit de tendre l'assiette – mais je sais que mon père pourra oublier de me passer le fromage.

« Attention, c'est très chaud, dit ma mère en servant. Mamie en faisait, rue des Halles. C'est la meilleure façon de manger des endives. »

Mon père regarde le plat avec méfiance, marmonne qu'avec ça, il va se brûler la gueule.

« Allons à Fontainebleau dimanche, qu'est-ce que tu en penses, Robert ? dit ma mère en reposant les couverts de service.

— On pique-nique ? je demande sans comprendre pourquoi ma mère veut aller à Fontainebleau.

— Bien sûr, répond-elle.

— Super. »

Jean-Marc réfléchit un instant, puis opine de la tête. Ça lui épargnera un trajet en mobylette.

« D'accord, mais on va à Barbizon. Il y a des rochers que je n'arrive pas à passer et je veux les réessayer.

— Très bien, dit mon père. On fera un peu d'escalade.

— Moi aussi ?

— Tu vas essayer.

— Alors on ira à la messe de six heures samedi avec Jean-Paul », tranche ma mère.

Concernant Jean-Marc, elle n'insiste plus, il n'y a rien à faire, elle ne peut plus le forcer à aller à la messe, surtout depuis qu'il passe ses dimanches à Fontainebleau.

« Cécile, tu viens avec nous ? demande mon père.

— Non, je dois réviser mes partiels.

— Qu'est-ce que c'est, déjà ?

— Droit public. Les systèmes électoraux.

— Ah ! c'est intéressant, ça, répond-il. Tu pourras me poser des questions si tu ne comprends pas. J'ai toujours aimé le droit public. C'est tellement plus intéressant que le droit privé, les histoires de sociétés, d'argent, de famille. Soudain, il se souvient de quelque chose. Mais, tu ne l'as pas déjà passé l'année dernière ? »

Cécile rougit.

« J'ai redoublé, papa…

— Ah oui, c'est vrai, c'est vrai. Toi, tu redoubles. Tes frères marchent bien, mais toi, tu redoubles…

— Mange ton gratin, Robert, ça va être froid, lui ordonne ma mère. On n'attend plus que toi pour le fromage, comme d'habitude. »

Mon père s'exécute en maugréant, engouffre rapidement les endives froides entourées de jambon prisonnier dans le gruyère fondu, puis Cécile apporte le plateau de fromage, qui circule alors. Massacré par Jean-Marc, qui prend de tout grossièrement, il subit une légère ponction de chèvre par Cécile et une grande tranche de comté par ma mère, pour parvenir sous les yeux de mon père alors qu'il évoque les relations franco-allemandes, moteur de la construction européenne en considérant attentivement chaque fromage pour finalement ne se couper qu'une lichette de gruyère : « Il faut bien comprendre, conclut-il, que les Allemands considèrent que les Français voyagent en Europe en seconde classe avec un ticket de première. » Un murmure un peu plaintif le dérange sur sa droite, je lui touche le bras, parle du plateau… « Mon pauvre ami, s'exclame-t-il, on t'a oublié ! Tiens, voilà le fromage ! »

Jean-Marc sort vite de table pour s'asseoir au piano. C'est son habitude après le dîner. Maintenant, il improvise des arpèges sur toute l'étendue du clavier, ses mains musclées gambadent légèrement. Personne à la maison ne comprend comment il fait ça.

*

Chaque fois que nous allons à Fontainebleau, je m'attends à voir apparaître des animaux préhistoriques. Le sable, l'immensité de la forêt, les énormes blocs de grès, le vent – tout là-bas les convoque, mais ils restent tapis dans le silence ponctué des exclamations des varappeurs. Mon père gare la voiture à Barbizon, sur la route Marie-Thérèse. Ma mère est contente à chaque fois. « C'était Marie-Thérèse de France, fille aînée de Louis XVI, tout de même », rappelle-t-elle, transportée d'une joie ineffable. Je comprends qu'elle n'y va peut-être que pour cela : voir son prénom inscrit sur un panneau qui atteste qu'elle est la fille aînée de Louis XVI – à cause du nez, du nez bourbon de l'arrestation dont elle parle de temps en temps à table et précisant que la Gestapo l'a relâchée parce qu'elle avait « des vrais papiers, tout de même ».

On marche une demi-heure sur une route forestière plate et droite, dont on perçoit le bout lumineux à quelques kilomètres, puis on bifurque et monte un peu vers les premiers rochers pour s'asseoir. Pendant que ma mère sort le piquenique, Jean-Marc consulte son guide, s'oriente, puis envisage un énorme bloc, s'y dirige et s'arrête à sa base. Je le rejoins.

« Tu vois, lapin, c'est celui-là, marqué bleu, coté D. Je vais me chauffer avec ça avant de manger. » Il tente de mémoriser l'enchaînement pieds-mains décrit schématiquement dans le guide, fait quelques étirements puis ouvre son sac, en sort le paillasson, s'assoit dessus, met ses chaussons, les tapote avec le pof, se relève, vérifie des yeux les prises, lève le pied gauche, et soudain s'accroche au rocher dans une extraordinaire tension, les bras et les jambes écartés, comme un singe suspendu à la carapace d'un rhinocéros. Les trois autres membres en appui, il décolle prestement le pied droit. Le bout du chausson, comme une truffe de chien sentant la trace, parcourt la surface à la recherche de la prise attendue cinquante centimètres plus haut, rien n'accroche, le museau accélère frénétiquement son mouvement, la jambe gauche tremble – « fais chier ! » lâche-t-il en retombant les deux pieds sur le paillasson.

« C'est prêt », crie ma mère.

Jean-Marc observe le rocher de plus près, identifie la prise qu'il a ratée, comprend pourquoi. C'est un petit graton au-dessus d'une tache verdâtre, abîmé par les passages incessants des grimpeurs. Il recommence la manœuvre, et place rapidement le pied droit dessus. Le gauche suit, puis les deux bras, il est maintenant à un mètre du sol. Je sue des mains rien qu'à le voir faire ça.

« Jean-Marc, Jean-Paul c'est prêt ! » répète ma mère. Dans cet ordre, elle peut toujours prononcer mon prénom.

Jean-Marc saute volontairement et retombe sur le paillasson.

« Très bien, je vois comment ça se passe. Je le ferai après déjeuner. »

194

Je me jette sur les œufs durs et le tube de mayonnaise, Jean-Marc sur le saucisson. Notre père, chaussé de ses gros godillots de haute montagne, évoque entre deux bouchées de tomate l'histoire de la forêt de Fontainebleau, ses différents secteurs. Ma mère engouffre de grandes quantités de salade de pâtes, et pense déjà au bon bol de café fumant qu'elle se servira grâce à la thermos qu'elle a remplie à ras bord. Anne-Marie n'est plus là pour lui faire la morale à ce sujet. Vraiment, elle ne lui manque pas.

« J'y retourne, dit soudain Jean-Marc.

— Tu ne prends pas ta poire ? demande ma mère.

— Tout à l'heure », répond-il, visualisant déjà la meilleure façon de passer en économisant ses forces.

Je prends sa poire et le suis.

Au pied du bloc, Jean-Marc recommence son rituel : paillasson, étirements, pof et magnésie sur les doigts pour chasser le gras de saucisson, puis lâche : « Regarde, lapin ! »

À peine ai-je le temps de compter jusqu'à dix qu'il est déjà debout en haut du rocher six mètres au-dessus de moi, sans effort apparent, comme s'il avait emprunté un tapis roulant vertical. Mon père pose la main sur mon épaule.

« Eh bien ! Tu vois ce qu'il fait, ton frère ? »

J'opine tout en trouvant la question bizarre. Bien sûr que je vois. Je ne vois que ça. Y aurait-il autre chose à voir ? Je garde mes réflexions pour moi.

« Tu viens voir, Marie-Thérèse ? crie mon père.

— Ah, non ! moi, je ne peux pas voir ça. Il appellera quand il sera en haut.

— Mais il est en haut !

— Déjà ? »

Elle accourt.

« Mais qu'est-ce que c'est que ça ? s'écrie-t-elle. Le paillasson de la maison ! »

Jean-Marc contemple le panorama, entend monter vers lui les cris des autres grimpeurs disséminés dans la forêt. Tous chutent. Lui, debout, la tête si proche du ciel, entend l'air du *Divin enfant,* puis le mot « paillasson ». Il se penche sur les parents et le lapin tout rabougris en dessous, sa mère gesticule, brandit le paillasson en maugréant, puis le repose devant le bloc de grès et retourne prendre son café.

« Tu veux essayer, lapin ? me crie Jean-Marc en sachant d'avance la réponse.

— Non, ça va, je n'ai pas trop envie, je réponds.

— Et toi, papa ? Tu peux le faire avec tes godillots, ça accroche quand même ! »

Mon père prend place sur le paillasson. Jean-Marc le guide.

« Pied droit en en haut, cinquante centimètres au-dessus de la tache verte, tu vois ? Le graton est au-dessus. Voilà. Ensuite, pied gauche dans l'axe vertical, après main droite en diagonale et main gauche au-dessus, puis pied gauche en rapprochement pour attraper le graton du pied droit que tu décales vers le haut à droite à trente centimètres environ. »

Les instructions se suivent, se bousculent dans la tête paternelle. Parvenu laborieusement à un mètre cinquante d'élévation, il comprend qu'il ne pourra pas monter plus et saute avant d'être coincé trop haut.

« Ah ! je n'ai plus vingt ans ! crie-t-il accroupi sur le paillasson. Dis donc, il n'est pas facile, celui-là !

— Oui, il est coté D, difficile. Il y en a un pour vous, à côté, le jaune », propose Jean-Marc sur le ton du professionnel qui ne souhaite pas perdre son temps avec des amateurs.

Mon père et moi tournons la tête. Une flèche jaune, peinte à la base d'un petit bloc de deux mètres environ, nous fait signe. Mon père demande à Jean-Marc si c'est bien celui-là, relève la tête pour avoir confirmation – mais il a déjà disparu.

7.

Le père Brisemur regarde Cécile à travers les croisillons de bois. Sa chevelure blonde, ses yeux bleus, quelle belle jeune fille. Aussi nordique que sa mère est méditerranéenne. Il lui donnerait le Bon Dieu sans confession, elle va aux cours supplémentaires de théologie, alors que fait-elle là ? Il l'apostrophe d'une voix ferme.

« Cécile-yeu, qu'est-ce qui vous amène devant le Seigneur-yeu ? »

Cécile a confiance dans le père Brisemur. Elle ne sait pas trop pourquoi. Sa mère en a toujours dit du bien, mais cela ne suffit pas. Elle le trouve respectueux des femmes, expérimenté. Elle ne sait pas par quoi commencer. Il doit avoir l'habitude du silence.

« Vous ne savez pas, par quoi commencer parmi vos péchés-yeu ? »

Elle sourit amèrement.

« En fait, il n'y en a qu'un. »

Alors c'est grave, pense-t-il en se recalant le dos sur la banquette du confessionnal.

« Dites tout et vite-yeu », lui intime-t-il.

Elle obéit. C'est un flot qui sort de sa bouche. Il reste la tête immobile, penchée sur le côté, l'oreille droite tel un fil de recharge de batterie branchée sur la prise de courant de la voix de la pécheresse. Il intervient.

« Dans votre rêve-yeu, il est nu-yeu ?

— Oui.

— Et qu'est-ce que vous faites avec lui-yeu ? »

Elle rougit, ne peut pas dire. Elle balbutie qu'il est trop beau, que c'est irrésistible. Tous ces muscles durs comme du bois et sa… sa…

« Sa quoi-yeu ? Sa verge-yeu ? »

Elle dit oui. Il se racle la gorge, reste un temps silencieux puis la tance.

« Cécile-yeu, il faut beaucoup prier dorénavant-yeu. Vous ne pouvez pas laisser ça s'installer en vous-yeu. Entre frère et sœur-yeu, c'est aussi un inceste-yeu. Je ne peux pas vous donner l'absolution. Vous reviendrez me voir-yeu. »

Elle le remercie d'avoir dit le mot. Inceste. Elle promet de prier et de revenir.

8.

Le hall d'entrée de la maison, large d'environ deux mètres et long de trois, dessert à droite la salle à manger, à gauche le salon, en face l'escalier et la cave, et au fond à droite la cuisine. Lorsque toutes les portes sont fermées, il offre les possibilités d'un court de squash. La présence d'une lanterne vénitienne pendue au plafond, nous oblige mon frère et moi à utiliser une toute petite balle rebondissante en caoutchouc pour nos parties de football.

Les buts sont constitués de la porte de la cave, faisant face à une demi-porte d'entrée. Le hasard des rebonds et la difficulté de frapper correctement la balle avec le pied font partie du jeu et permettent à chacun de marquer des points malgré la différence d'âge. Plus proche du sol par la taille, je suis même avantagé pour positionner le pied sur la sphère de trois centimètres de diamètre, qui parfois disparaît on ne sait où si l'on ne suit pas ses rebonds zigzagants du plafond au miroir – qui garde la trace de son impact par un léger dévers de son cadre – en passant par l'ancien prie-Dieu que notre mère, après avis du père Brisemur, a accepté de tolérer transformé en meuble à tiroir et placard alors qu'elle ne s'était pas aperçue de sa destination d'origine. « Marie-Thérèse-yeu, ce n'est plus un instrument de culte-yeu, avait-il assuré à ses yeux inquiets. Cela d'ailleurs n'en a jamais été un à proprement parler-yeu. Considérez-le comme un simple banc-yeu. » Dessus, un bol d'artisanat monastique avec des fleurs séchées. Le pan incliné sur lequel on posait le missel a été muni d'une charnière et l'on y range derrière les gants et les bonnets ; dessous, un placard à deux portes abrite des papiers de toutes sortes et, en bas, où les genoux auparavant se posaient, un tiroir à jeux et jouets. C'est de là que je prends la balle rebondissante après avoir mis à l'abri le bol de fleurs séchées dans le placard incliné.

Les parties vont en cinq et constituent un ballet de gestes désordonnés, de pieds battant l'air, de volte-face et de vérifications continuelles pour apprécier si la balle a frappé la porte adverse, sur laquelle elle rebondit instantanément, difficulté supplémentaire pour établir la réalité du score. Parfois, nous convenons de jouer balle roulant à terre, mais c'est trop besogneux, la balle passe sous le pied, on ne peut pas taper trop fort, Jean-Marc perd patience, la prend dans une main et l'envoie valdinguer et revoilà les zigzags, les carreaux de la porte d'entrée indiquant, par un bref son de verre épais, avoir été touchés. Lorsqu'il perd, il ne dit rien, prend la balle, la lance ainsi de toutes ses forces à travers le hall, s'enferme dans le salon et s'installe au piano – je ne peux plus compter le nombre de rebonds.

*

Et j'avancerai vers le Juge Suprême et lui dirai : Mon nom est Robert Bergamo, fils unique de Jules Bergamo, humble couturier de province d'origine italienne, modeste fonctionnaire parvenu aux plus hauts échelons de votre Fonction Publique à la force du poignet, sans compter les heures de travail du week-end sur les dossiers de Votre Bienveillante Administration Consacrée au Bien Public. Je sens mon cœur, et je connais les hommes. Je ne suis fait comme aucun de ceux que j'ai vus. Que la trompette du jugement dernier sonne quand elle voudra, je viens, ce rapport sur les Taxes Parafiscales à la main, me présenter devant Vous, Souverain Juge. Voilà ce que j'ai fait du problème de transfert d'impositions qui m'a été soumis. J'en dis le bien et le mal avec la même franchise. Je n'ai rien tu de mauvais, rien ajouté de bon, et s'il m'est arrivé d'employer quelque ornement comme « en outre », « toutefois » ou « toutes choses égales par ailleurs », cela n'a jamais été que pour en faciliter la lecture. J'ai pu supposer vrai ce que je savais avoir pu l'être, mais jamais ce que je savais être faux. Dans ce rapport, je me montre tel que je suis : méprisable et vil quand je l'ai été en ce qui concerne les taux ; bon, généreux, sublime à l'égard de la définition de l'assiette des taxes. Dans ce rapport, j'ai dévoilé mon intérieur tel que tu l'as vu toi-même, Être Éternel. Rassemble autour de moi l'innombrable foule de mes collègues malveillants et envieux et de mes camarades de promotionde l'ENA ; qu'ils écoutent mes préconisations, qu'ils gémissent de leur incurie, qu'ils rougissent de leur nullité. Que chacun d'eux expose à son tour sa doctrine fiscale au pied de Ton Trône, avec la même sincérité – et puis qu'un seul te dise, s'il l'ose : Je suis meilleur que cet homme-là !

Mon père se réveille en sueur, regarde l'heure. Cinq heures. Dans quatre heures, il voit le directeur de cabinet du ministre et lui rend son rapport. Ma mère, énorme masse dans l'obscurité, ronfle et imbibe l'air d'effluves de café. Il a envie de la réveiller pour lui dire son rêve. Mais voilà qu'il s'en souvient à peine et se rendort.

*

Attiré par un cliquetis inhabituel de mousquetons et de pitons provenant de la chambre de Jean-Marc, je toque deux petits coups discrets et entre. Mon frère est affairé dans un coin.

« Tu fais quoi ?

— Tu vois, je prépare le matos, me répond-il en fourrant sa quincaillerie dans un sac à dos de haute montagne, reconnaissable à sa forme tubulaire et ses couleurs vives, vision qui me donne à elle seule le vertige et les mains moites.

— Tu vas à Fontainebleau avec ça ?

— Mais non, banane, je vais faire Chamechaude.

— Chamechaude au-dessus de chez Bonne-maman ?

— Je pars demain matin à six heures en mob. 60 à l'heure de moyenne, j'y suis vers six heures du soir. Je repars le lendemain matin à quatre heures à pied, hop, petite marche d'approche jusqu'à la base de Chamechaude, là je grimpe, je suis là-haut à midi, ensuite je redescends, je dors chez Bonne-maman, et je repars le lendemain matin à six heures. »

J'essaie d'imaginer tout cela. C'est impossible. À la place, quelque chose se noue dans mon ventre pendant que je calcule. Enfin, je trouve.

« Tu vas faire douze heures de trajet sur ta mobylette ?

— Ben oui.

— Tu l'as dit à papa et maman ?

— Eh ! Je suis majeur, hein ! Je n'ai pas besoin de leur autorisation. »

Cela me rappelle ce que m'a dit Michel l'autre jour sur son frère, qui n'arrête pas de dire que quand il sera majeur, ça va péter. Majeur, ça doit être quelque chose d'important.

« Tu feras attention, hein ?

— Tu parles comme maman ! » s'exclame Jean-Marc. Puis il ricane et marmonne quelque chose. Je crois entendre « Tu ne seras jamais à ma hauteur », mais ce n'est pas possible parce que Jean-Marc ne peut pas dire des choses pareilles me concernant.

Je quitte la chambre de mon frère pour monter l'escalier menant à celle de Cécile. Je frappe à sa porte. Elle me dit d'entrer.

« Tiens, tiens, dit-elle. Assise en lotus, elle glisse un crayon papier dans un livre pour garder la page. Qu'est-ce qui t'amène dans ma tanière ?

— Tu sais que Jean-Marc part demain sur sa mobylette pour monter sur Chamechaude ? »

Elle fronce les sourcils.

« Chamechaude au-dessus de chez Bonne-maman ?

— Oui !

— Non. Comment cela ? Ce n'est pas possible…

— Mais si, il m'a tout raconté. »

Elle reste un instant silencieuse, semble voir quelque chose qui lui fait plaisir.

« Il est fou, dit-elle enfin, dans une intonation où la réprobation masque l'admiration.

— Hein, C'est vrai qu'il est fou !

— Tu veux du thé ? me propose-t-elle. J'allais faire une pause.

— Oui. Qu'est-ce que tu lis ?

— Une conférence d'un yogi que m'a passée Colette. »

Je lis le titre : *Anéantir ses désirs pour trouver la Lumière.*

« C'est bien ?

— Très intéressant. Tu sais, j'ai commencé le yoga avec elle, et c'est bienfaisant. Tout le monde devrait en faire, à commencer par maman.

— Pourquoi ?

— Ça la rendrait moins irritable. On apprend à respirer par le ventre, comme ça. »

Elle prend ma main, la pose sur son ventre, que je sens gonfler et dégonfler lentement, comme un ballon. Cécile m'explique le diaphragme, le massage des intestins, le rythme cardiaque qui décroît, que certains grands yogis parviennent même à arrêter le battement de leur cœur ou déconnecter le réflexe respiratoire. Je retire sa main. C'est drôle, Anne-Marie aurait pris ma main comme ça, je me serais senti chaud et excité, mais avec Cécile, c'est neutre. Comme lorsque je la vois en maillot à la piscine ou regarde ses pieds. Il n'y a rien.

« Il faut aussi faire attention à la nourriture, ajoute Cécile, ne pas manger trop gras. Maman cuisine trop gras... »

Je ne trouve pas. Maman fait de la bonne cuisine. Je reste silencieux.

« ... elle abuse des graisses saturées, insiste Cécile. Elle fait de la cuisine cancérigène. Les pâtes à la tomate et au fromage, par exemple. C'est cancérigène. »

9.

Dorénavant, il est d'accord avec ce code, je cogne un coup à la porte de Jean-Marc et y rentre dans la foulée. Cette fois-ci, l'obscurité soudaine me fige. Je reste au seuil et cligne des yeux lorsqu'un faisceau lumineux se braque sur mon visage.

« Je te vois dans les phares, lapin ! dit Jean-Marc.

— Qu'est-ce que tu fais ? Je demande à la pénombre.

— Je teste la frontale de mon casque. Ça marche. Je te vois bien. Mais en fait, on l'oriente plutôt vers le sol, comme ça, pour voir où l'on marche, si on ne va pas tomber dans une crevasse. »

Le faisceau balaie un instant le parquet jonché d'accessoires d'escalade, puis Jean-Marc rallume le plafonnier de sa chambre.

« Demain, je pars à Chamonix en train. Le soir, je suis au refuge d'Argentière.

— Et après ?

— Après, réveil à une heure et j'attaque le Couturier.

— Le couturier ? Qu'est-ce que c'est ?

— C'est page 30. » Il me tend un numéro du magazine d'alpinisme auquel il est abonné.

Je feuillette jusqu'à la page en question, et y découvre la photo d'un alpiniste accroché la tête en bas sous le titre « Le couloir des extrêmes, mille mètres direct du glacier jusqu'au sommet de l'Aiguille verte ».

« Ça se regarde dans quel sens ? je demande interloqué.

— Celui du magazine, me répond Jean-Marc, concentré dans la sélection de sa quincaillerie, la jambe droite bougeant dans un mouvement saccadé que rien ne peut arrêter.

— Ah…, dis-je alors que mes mains se couvrent de sueur. Tu vas faire ça… et ça monte pendant mille mètres ?

— Ouais. Ça commence à un peu plus de trois mille, et on débouche au sommet à quatre mille deux.

— C'est pour ça que tu montes et descends les escaliers plusieurs fois de suite ?

— Entraînement cardiaque ! Et à un moment, il faut y aller avec ça. »

Il exhibe deux petits piolets crantés et recourbées, aiguisés comme des dagues, et se redresse de tout son long pour mimer le geste technique dans l'espace de sa chambre.

« Tchac, tchac, ensuite les crampons, critch, critch, et on recommence, tchac tchac, ensuite les crampons critch critch, pendant les deux cents mètres les plus durs. Et les crampons – il ramasse quelque chose par terre dans un affreux bruit de ferraille qui couvre sa voix – en voilà un : il montre deux piques menaçantes, telles des dents de sanglier très rapprochées et horizontales, fixées sur des crampons de haute montagne classique. Spécial vertical, poursuit-il fièrement. Dans le couloir de glace, on ne se sert que des piques de devant. Celles de dessous, c'est pour la marche. »

Bouche bée, j'avance la tête en signe d'admiration mêlée d'une anxiété croissante. Mes mains sont en eau, mes plantes de pied aussi. Je murmure :

« Et... c'est dangereux ?

— Il y a des morts tout le temps, répond Jean-Marc en ricanant. Les séracs tombent à gauche, et les pierres à droite. Mais ce sont des gens qui n'y connaissent rien, pas assez entraînés. En général, des Japonais. Ils débarquent de l'avion, montent trop vite et dévissent tout de suite. Ce n'est pas

210

grave, les Japonais, il y en a des tonnes, ça ne compte pas. Il part d'un grand éclat de rire.

— Ah oui, des Japonais ! » J'accompagne mécaniquement Jean-Marc dans sa rigolade, pour tenter de conjurer cette peur qui m'assaille chaque fois que je le vois préparer une nouvelle étape de sa passion comme un Christ des montagnes.

« Et ça, cette vis creuse en métal, c'est quoi ? je demande à mi-voix.

— Piton à glace. Ça se visse dans la glace, après on passe la corde et on est assuré. Mais enfin, le couloir est déjà équipé avec des pitons fixes. Ça, c'est pour dépanner. Ah, voilà le baudrier. Je vais prendre celui-là, il est plus léger. »

Le sac, boudin vertical rigide, se remplit à vue d'œil.

« Ça doit peser lourd, je dis.

— C'est sûr, faut être fort », affirme-t-il.

Je regarde les bras de mon frère, en T-shirt à manches courtes. Je les connais bien, les observe souvent. Rien que du muscle, comme sur les tableaux médicaux d'écorchés du dictionnaire à l'entrée « corps humain ».

« Et ça ? je lui désigne une grande feuille d'aluminium qui ressemble en énorme à celles qu'on utilise avec maman pour faire des gâteaux.

— Couverture de survie, pour garder au chaud. Si j'ai un problème dans le couloir, je plante deux pitons, je me suspens et je m'enroule là-dedans en attendant les secours. »

Il place le duvet bien comprimé dans sa housse, ferme son sac dessus, fixe à l'extérieur deux cordes neuves, une orange et une violette, et attache le casque.

« Voilà, c'est terminé. Putain, c'est lourd ! constate-t-il en soulevant le sac. Et il n'y a que l'essentiel… »

Je sors de ma poche la petite balle rebondissante.

« On en fait une, maintenant, tu as fini ?

— D'accord, lapin, une dernière. Je te préviens, je suis entraîné ! »

On dévale l'escalier pour jouer notre partie dans le hall. Jean-Marc prend très vite l'avantage deux à zéro, mais je remonte, le dépasse et gagne cinq à deux.

« J'ai gagné, j'ai gagné, j'ai gagné ! » je clame.

Il ne fait aucun commentaire, délaisse la balle pour une fois lorsqu'il perd, passe au salon, s'installe au piano et joue les arpèges de sa composition, une cascade de notes cristallines qui montent et qui descendent, qui descendent surtout, comme des cailloux sur une pente ou… des séracs dans un couloir de glace. Je me souviens que Bon-papa, que je n'ai pas connu, était couturier. Je trouve ça

drôle qu'on ait donné ce nom à une voie d'alpinisme. Le couloir Couturier.

« Jeanmajeanpaul, le dîner est prêt, tu peux sonner la cloche ! » ordonne ma mère.

Tôt le lendemain matin, sur le pas de la porte,
Jean-Marc écoute poliment les dernières recommandations de notre père, embrasse notre mère
effarée et nous adresse, à Cécile et moi, fiers et
préoccupés, un banal signe de tête.

« Bien sûr, je donne des nouvelles dès que je
peux, ne vous inquiétez pas. » Il part à pied vers
le RER, équipé de tout son barda, refuse que mon
père l'y conduise – « Ça fera un échauffement »,
assure-t-il.

C'était un lundi. Cécile en est certaine et me l'a
toujours rappelé car le mercredi de cette semaine-
là, seule à la maison, elle a réceptionné l'appel télé-
phonique de la gendarmerie de Chamonix. Une
voix mâle qui disait « On a retrouvé ce numéro
dans le portefeuille de Jean-Marc Bergamo. Il a
dévissé de cinq cents mètres dans le couloir Couturier. Est-ce bien le bon numéro, ses proches
habitent-ils là, qui est à l'appareil ? » Cécile entend
la voix répéter : « Allô, qui est à l'appareil, vous
m'entendez, madame ? Je sais que c'est difficile,
mais comprenez que je fais mon devoir. Êtes-vous

la bonne personne ? Le corps est disloqué, couvert de sang et de coupures, difficilement identifiable, comprenez-moi, êtes-vous la bonne personne ? »

*

Oh oui ! Elle est la bonne personne ! Ainsi donc, c'est à elle que Dieu a dévolu le rôle d'épargner à sa mère de prendre de plein fouet la nouvelle, la mort de son Jean-Marc, son Fils Bien-Aimé, le petit dernier, enfin, non, l'ancien petit dernier, mais c'est toujours Jean-Marc, l'enfant magnifique, le miraculé de l'accident de 68. Oh ! comme il est courageux, peur de rien, intrépide et habile, sait tout faire, oh, comme il joue bien du piano et quelle belle tête, fier, beau gosse elle dit maman, elles ont convenu de ça toutes les deux, tiens, la semaine dernière, elles se sont mises d'accord là-dessus, Jean-Marc est vraiment beau gosse, alors que Jean-Paul est laid, les oreilles, bien sûr, mais s'il n'y avait que ça – eh oui, ça arrive, Jean-Paul est très intelligent, mais enfin il est laid – allô, vous m'entendez, Madame, Mademoiselle, vous m'entendez, suis-je au bon numéro ? Oui, je suis sa sœur, s'entend-elle dire, sa grande sœur, ma mère est sortie avec mon petit frère et mon père est en déplacement en province. Au bout du fil, la voix est

soulagée. Délestée de la charge de trouver un desti-
nataire à la triste nouvelle, elle adopte un autre ton :
formalités, reconnaissance du corps, prendre son
temps, prévenez vos parents ce soir seulement, pas
pressé, la morgue va vous appeler. Cécile note les
coordonnées de la gendarmerie et raccroche. Un
fou rire lui vient. Ce n'est pas possible. Elle a dû
rêver. Devant elle, ce bout de papier avec un
numéro de téléphone dessus. Ça, Jean-Marc est
mort ? Mais il est toujours là, il est là, toute la
maison le respire, c'est la seule personne vivante
de la maison ! Elle s'assoit sur le canapé, sourit et
pleure de brèves larmes d'exaltée. Ça doit être vrai,
elle n'a pas rêvé. Et c'est à elle que cela arrive. Elle
se signe. « Seigneur, je ne suis pas digne de te recevoir, mais dis seulement une parole et je serai
guéri », dit le pécheur au Christ venu le visiter.
Passe en elle l'ange Gabriel aussi, dépositaire d'une
horrible annonciation retardée dans le temps,
peut-être celle que sa mère aurait pu entendre juste
après l'accident, « madame, votre bébé n'a pas survécu au choc ». Oui, elle, Cécile Bergamo, a été
choisie, elle parmi les plus pures – d'ailleurs, Jean-
Marc se manifeste maintenant devant ses yeux,
Christ au visage déchiré par les crampons, ensan-
glanté par les dents des piolets à glace, couronne
d'épines de pitons sur la tête, il lui dit « ne pleure
pas, Cécile. En vérité, je te le dis, j'ai bien vécu

ma Passion de l'escalade, toujours plus haut vers le Ciel, toujours plus risqué. Va en paix, prends des forces pour annoncer ce que tu sais, et continue d'éviter les graisses polysaturées et les spaguettis cancérigènes ». Elle s'agenouille, puis se prosterne, les mains à plat sur le tapis du salon acheté dans une boutique d'artisanat monastique. Là, ses doigts rencontrent quelques-unes de mes billes et les chassent vivement sous un meuble afin de préserver la pureté de sa communication avec l'au-delà, qui exige que les paumes restent à plat sur le sol pour que le fluide divin circule sans obstacle. Elle reste un long moment ainsi afin que l'état extatique l'emplisse tout entière. Dans une infinie douceur, elle et Jean-Marc flottent au-dessus de la maison. Mari et femme, il lui glisse l'alliance éternelle à l'annulaire gauche, puis elle panse les plaies de Sa Face avec le coton hydrophile de la boîte à pharmacie de la salle de bains, chacune des coupures se résorbe par la magie de ce soin céleste, Jean-Marc retrouve son visage, apaisé, auréolé de puissance bienfaitrice, les muscles de son corps se reconstituent un à un sous l'effet du baume – le téléphone sonne – ses abdominaux saillent de nouveau, ses cuisses se tendent, elle remonte vers le pli de l'aine – ça sonne – pour tamponner de son coton bénit les Saints Testicules et la Sainte Verge, elle bouge, elle bouge toute seule, se dresse – la sonnerie du téléphone morcelle sa vision, ses paumes écrasent les bouloches du tapis, impossibles à éradiquer, toujours dégueulasse ce tapis, disait Anne-Marie quand elle était encore là, pas étonnant que ça pluche tout le temps, travail de curé, rajoutait-elle.

Cécile se relève lentement. Aller décrocher, c'est la morgue, ils doivent appeler. Elle ressent une grande faiblesse, son sang se retire de son corps sous l'effet d'une divine morsure, d'une infinie succion – pour alimenter le Corps Mystique du Christ, c'est cela, comprend-elle. Ses genoux la portent difficilement, c'est la morgue, mais que va-t-elle dire si c'est papa, il appelle toujours à l'heure du déjeuner, va-t-elle avoir la force d'annoncer la nouvelle ? Oui, Son Seigneur lui a dit qu'elle aurait la force. Elle titube jusqu'au combiné, la sonnerie cesse – elle s'écroule.

*

Je ne comprends jamais très bien de ce que dit la voix rauque de mademoiselle Royer sortant du gouffre d'une bouche ouverte au milieu d'un visage plissé et creusé par de profonds sillons. Depuis tant d'années que ma mère m'emmène rendre visite à la vieille demoiselle à l'hospice de

Champs-la-Ville, elle n'a jamais une ride de plus ni une dent de moins – une seule est visible, devant, un chicot. Nous y allons depuis si long-temps que je ne me souviens même pas de la pre-mière fois.

« Elle t'emmène toujours voir la vieille à Champs-la-Ville ? fulmine Anne-Marie pendant le thé dans sa chambre.

— Oui. Je lui réponds sans savoir quoi penser.

— Et les autres vieilles aussi, elle t'y emmène ? Mademoiselle Bochet et la tante Sophie ?

— Ben oui, le mercredi.

— Mais tu sais que ce ne sont pas ses tantes ? C'est les tantes de sa mère. C'est pour ça qu'elles ont quatre-vingt-dix ans passés !

— Et mademoiselle Royer ?

— Je n'en sais rien. C'est quelqu'un qu'elle a connu comme ça, en faisant une visite dans un hospice pour le Secours catholique. Elle n'a pas de famille. Tiens, reprends un scone. Ah ! ça m'énerve, ça m'énerve ! Tu n'as pas autre chose à faire le mercredi ?

— Je vais chez Michel, ou il vient à la maison. Mademoiselle Royer, on n'y va pas tout le temps…

— Ah ! ça m'énerve quand même ! »

Après le bus, on marche un bon quart d'heure avant de voir l'hospice, un immense bâtiment tout plat dans un grand parc entouré de grilles noires.

On déambule dans un couloir immense empestant le détergent hospitalier.

« Pourquoi on ne dit pas madame Royer ? je demande à ma mère.

— Ah ! c'est une demoiselle, elle est restée demoiselle, c'est important ! » répond-elle à mi-voix en toquant à une porte entrouverte. Soudain, le visage de ma mère s'illumine, c'est sainte Thérèse d'Avila rejoignant la Vierge au Ciel. La très vieille dame tourne la tête de son fauteuil et montre le trou noir de sa bouche dans une joie bouleversante. Elle se lève, pousse de longs cris rauques d'otarie, avance à petits pas, articule des choses incompréhensibles en étreignant ma mère, puis moi. Un peu mal à l'aise, je souris quand même, c'est une bonne action, cela se voit puisqu'elle est contente comme un chien qui remue la queue et que ma mère en pleure de joie et crie : « Mademoiselle Royer ! Comment allez-vous ? Je vous ai apporté du miel !

— Comment ?

— Du miel, répète-t-elle en haussant encore la voix, montrant un paquet qu'elle pose sur la télévision à côté d'une jacinthe. Un pot. »

La vieille se confond en remerciements modulés.

Le petit dernier

Nous disons aussi bonjour à sa compagne de chambre, qui nous rend un petit geste de la main et retourne à sa rêverie. Je m'assois sur une chaise dont le dossier et l'assise ne sont formés que d'élastiques verts, passe mes mains au travers, comprends que mademoiselle Royer parle de moi, reconstitue les mots « grand », « gentil » à partir de voyelles râpées transmises par un souffle guttural. Flatté, je la regarde et souris. Alors ma mère donne des nouvelles de toute la famille. Mademoiselle Royer ne connaît ni Anne-Marie, ni Cécile, ni Jean-Marc, ni mon père, mais ce n'est pas grave. Ma mère parle longtemps de tout le monde et la vieille opine du chef en poussant des Oh ! et des Ah ! exaltés.

« On va se promener, vous voulez ? » lui crie ma mère une fois terminée la chronique familiale. Elle prend la vieille sous le bras et elles sortent dans le couloir. Je les accompagne après qu'un signe de tête de ma mère me l'ordonne, un de ces brusques signes de menton que le metteur en scène fait à l'acteur, ou l'entraîneur au joueur pour lui signifier « maintenant ». Alors commence la marche protocolaire jusqu'au bout du couloir. À petits pas glissés, cérémonieux, nous croisons des pensionnaires en robe de chambre qui, cramponnés à leurs déambulateurs, nous regardent avec envie : tiens, elle a de la visite, elle, sa fille et son petit-fils viennent la voir, elle. Ma mère ressent force et bonheur d'être ainsi remarquée dans une action de charité. Arrivés au bout du couloir, nous nous asseyons sur des fauteuils en skaï gris, en face de l'infirmerie d'étage. Je regarde les orteils des infirmières dépasser énigmatiquement de leurs chaussures bizarres, pendant que la voix d'otarie entame un assez long soliloque, absolument incompréhensible. J'imagine qu'elle parle de la guerre de 14, car elle a duré quatre ans et mademoiselle Royer l'a connue. Enfin, à l'armistice de 1918, nous retournons à sa chambre sur un train de vieux sénateur. Mademoiselle Royer a l'air fatiguée, mais son visage irradie de bonheur. Elle s'assoit sur son lit, fouille dans le tiroir de sa table de nuit métallique, sort un porte-monnaie, bute sur l'ouverture, refuse l'aide de ma mère, parvient enfin à faire glisser la fermeture Éclair, plonge dedans avec trois doigts osseux et pince une pièce qu'elle me tend dans une invite éraillée. Je prends l'argent, remercie, fais une bise, me sens honteux soudain, regarde par terre.

« Il ne fallait pas, mademoiselle Royer », crie ma mère.

La vieille fait un geste en l'air avec un bras et part dans une formule un peu plaintive, d'où l'on comprend qu'elle n'a pas d'enfants, qu'elle n'a plus personne, qu'il faut bien qu'elle donne à quelqu'un.

« On va y aller, mademoiselle Royer », crie encore ma mère.

La vieille pleure, nous étreint. Elle n'a plus rien que nous et la peau sur les os. On quitte enfin la chambre.

Le silence prend possession de moi jusqu'au sortir de l'hospice, ce silence qui saisit les voleurs encore dans les lieux de leur acte.

Une fois au grand air, en rejoignant l'arrêt de bus, ça va mieux.

Nous passons devant la vitrine d'un magasin de jouets. Le circuit de voitures électrique dont je rêve depuis longtemps y est exposé. Je reste planté devant. C'est un très beau circuit. Mais un circuit pour Jean-Marc, pas pour moi...

« Il est beau le circuit », je me contente de dire.

Ma mère regarde le prix.

« Tu le veux pour ton anniversaire dans un mois ? »

— Oh ! je réponds, un peu confus.

— On va l'acheter. Puisque tu as fait la bonne action avec mademoiselle Royer aujourd'hui, tu peux avoir le circuit de voiture.

Je n'ose y croire. On entre dans le magasin et ma mère achète le circuit. C'est le paradis, un incroyable rêve, je ne la reconnais plus. Miraculeux qu'elle m'achète une chose aussi chère, aussi grosse, aussi importante. Je ressors du magasin avec un énorme sac en plastique, me sens rempli de bonheur, mais un goût amer monte aussi dans ma bouche, une voix me susurre – ça doit être Satan : Faire une bonne action pour avoir un cadeau d'anniversaire ? Naître ne suffit pas ?

Dans le bus, au retour, ma mère insiste.

« Tu vois, c'est important de faire des bonnes actions. Quand on fait des bonnes actions, on est récompensé. »

*

« Cécile ? Il n'y a personne ? » s'enquiert ma mère en ouvrant la porte. Elle pousse un cri en entrant au salon. Cécile est allongée par terre, les bras en croix. Maman la secoue, lui donne des petites gifles.

« Elle bouge », je dis.

Auréolée de lumière, Cécile rêve qu'on la fustige, répond aux coups par « je suis la servante du Seigneur ! », soudain elle ouvre les yeux, identifie les visages. Sa mission lui revient. Elle se redresse et d'un bond se met debout. Le papier avec le numéro de téléphone de la gendarmerie est sur le tapis, elle se souvient, la morgue, ils vont rappeler.

« Je... je suis tombée dans les pommes, dit-elle en ramassant le papier.

223

— C'est à cause de ta nourriture, je te l'ai dit, répond ma mère avec dédain. Pas assez calorique... Il y a eu des coups de fil ? »

Cécile blêmit. Avant même qu'elle ne réponde, le téléphone sonne et ma mère décroche. Elle veut crier « Non, non ! C'est la morgue ! » ou « Oui, oui, je l'ai désiré en rêve ! », elle ne sait plus exactement, mais c'est trop tard.

« Jean-Marc, Jean-Marc ! crie ma mère. Comment ça va, ça c'est bien passé ? Ah ! tu as perdu ton portefeuille ? Non, personne n'a appelé. Enfin, je ne sais pas. Cécile, les objets trouvés ont appelé pour le portefeuille de Jean-Marc ? »

Cécile lui tend le papier et cherche un siège pour s'asseoir. Ça tourne autour d'elle.

« Oui, ils ont appelé, je te donne leur numéro. Ils ont le portefeuille, Cécile ? »

Cécile opine de la tête.

« Voilà, Jean-Marc, tu notes bien ? »

Ma mère dicte le numéro.

« Tu reviens demain ? D'accord. »

Elle raccroche.

« Ça va mieux comme ça, constate-t-elle. Ah ! Jean-Marc, Jean-Marc ! Quel homme ! Mamie disait pareil à propos de mon frère : Jean-Marc, quel homme ! À croire que ça tient au prénom ! »

10.

Ma mère constate que Solange Martinet est plus outrageusement maquillée aujourd'hui que la fois précédente. Je vois bien ce qu'elle pense, je la connais comme si je l'avais faite : Elle se demande si Solange triche avec son âge. Marie-Thérèse, au moins, n'a rien à cacher : son âge se voit, la ménopause lui est passée dessus depuis Mitterrand en 1981, pas besoin de masque, on va tous vers la tombe, vanité des vanités.

Elle a refait le cake que Solange aime bien, l'a coupé, et disposé dans de petites assiettes de style anglais. Pour une fois, Cécile et moi restons prendre le thé avec elles. Solange s'éclaircit la gorge.

« Dites-moi, Marie-Thérèse, et vous aussi, Cécile et Jean-Paul, vous devez être folles de joie à l'heureuse nouvelle ! Enfin... fous de joie, le masculin l'emporte ! »

Ma mère cesse de couper le cake. Cécile et moi ouvrons grand nos oreilles. À part un nouveau prêtre dans la paroisse en remplacement de l'odieux père Fabien à l'indécrottable gauchisme, on ne voit pas ce qui peut faire plaisir à notre mère.

« De quoi parlez-vous, Solange ? » demande-t-elle interloquée.

L'invitée change de couleur, comprend qu'elle a dû gaffer – mais c'est trop tard.

« Vous ne savez pas ? Oh ! Marie-Thérèse, je suis désolée, vous ne savez pas pour Anne-Marie ? Solange marche sur des œufs, entame une longue circonvolution. Comprenez bien, Marie-Thérèse, Cannes n'est pas le genre d'endroit où je mets les pieds d'habitude, mais enfin j'y suis allée il y a quatre mois pour l'enterrement de la mère d'une de mes amies, eh bien, je dois vous le dire, j'ai vu Anne-Marie enceinte… je ne peux pas me tromper, on s'est dit bonjour. »

Maman brandit le couteau à cake dans un mouvement de recul.

« Solange ! Ce n'est pas possible ! De combien de mois ?

— Quatre ou cinq mois, au moins ! Je suis désolée, désolée de vous l'apprendre. »

Elle pose le couteau et se passe la main sur le front. Ça se bouscule dans sa tête : Quelle infamie, même pas mariée, et avec ce Marco, jamais vu, jamais présenté, une espèce de Marlon Brando, Saleté ! Saleté d'Anne-Marie.

« Vous allez bien, Marie-Thérèse ?

— Oui, Solange, bien sûr. Excusez-moi un instant, je dois chercher du café à la cuisine. »

Pour une fois qu'elle prenait du thé. Elle revient au salon avec son bol de café, se rasseoit et se tait. Cécile demande des détails à Solange. Elle n'en a pas plus à dire, répète la même chose : dans la rue, Anne-Marie ? Anne-Marie ! Gros ventre ? Enceinte !

Je suis tout excité. Le bébé d'Anne-Marie ! Cécile, très droite sur sa chaise, le bassin basculé comme le recommande Ramakrishna, voit défiler des pensées contradictoires. Elle est heureuse pour sa sœur, malgré tout, et lui envoie mentalement des ondes de compassion, qui feront du bien à leur mère aussi. D'ailleurs, maman a l'air calmée. Tiens, elle va l'aider à la cuisine ce soir, car il n'est pas bon qu'elle reste seule avec cette nouvelle.

Notre mère garde le silence, se passe encore la main sur le front. Ça hurle dans sa tête. Ça va être une fille, c'est sûr. Elle va faire une fille encore pire qu'elle. Peut-être déjà née. Heureusement que Mamie est morte avant de voir ça.

Solange partie, Cécile reste non loin de notre mère. Elle m'explique que la Voie du *bodhisattva*,

comme celle du Christ, lui commande la compassion et l'attention envers ceux qui souffrent.
Combien de fois a-t-elle vu notre mère perdre ses
moyens s'agissant d'Anne-Marie. Que serait la
famille si très tôt elle, Cécile, n'avait pas rééquilibré
les choses ?

Elles restent ensemble au salon, où ma mère
boit en silence près de deux litres de café noir en
moins d'une heure. Cécile ne lui fait pas de
remarque, elle voit qu'elle a besoin de beaucoup
de café après le choc de la nouvelle. En fin d'après-
midi, alors que notre mère regagne la cuisine pour
préparer le repas, Cécile me détaille son plan com-
passionnel : un temps de méditation au salon pour
enclencher le *sâdhu*, puis rejoindre maman à la
cuisine, car elle se souvient que Ramana Maharshi
a dit que le *sâdhu* demeure dans la Paix et que sa
proximité contribue à créer chez autrui ce même
état. Apprenti dans la Voie, je prends bonne note.
Après le fameux temps de méditation, je la suis
dans la cuisine, où notre mère s'acharne à récurer
une casserole sous l'eau du robinet.

« Maman, lui dit Cécile doucement, j'avais mis
à tremper cette casserole. Il ne faut pas la gratter.
Je l'ai achetée pour faire cuire mes céréales, que
j'ai mises dans ce placard. »

Elle désigne d'un geste cérémonieux un des placards de la cuisine. Ma mère hausse les épaules en

signe de réprobation et repose sur la table la casserole, émaillée à fleurs rouges.

« C'est une casserole, poursuit Cécile, beaucoup plus saine que celles que tu utilises, dont le fond est abîmé. Je te montre où je la range, comme ça tu es au courant. Par ailleurs, je voulais te dire que je ne dois plus manger de plats en sauce. Donc, à chaque fois que tu prépares quelque chose, si tu peux m'en mettre de côté sans sauce, ça serait bien.

— Tu ne dois plus, tu ne dois, plus... qui t'a dit que tu ne dois plus ? bougonne ma mère

— Lorsqu'on est comme moi sur la voie du *bodhisattva*...

— Du quoi ? qu'est-ce que tu racontes ? »

Elle coupe court d'un geste qui indique que les sifflements de l'autocuiseur l'empêchent de comprendre ce que lui répond Cécile, baisse le gaz et programme le minuteur.

« Qu'est-ce qu'il y a là-dedans ? demande Cécile.

— Des artichauts.

— Ça, je peux en manger. »

Soudain notre mère vacille, manque de s'écrouler. Cécile la retient, place une chaise derrière elle.

« Ça va, maman ? » dit-elle en l'asseyant.

Le souffle court. Chaque fois pareil. Anne-Marie la fait étouffer, même à distance. Tout de suite ou au bout de quelques heures, tout tourne, devient noir. S'il n'y avait pas eu Cécile, encore... peut-être qu'elle s'en serait sortie d'Anne-Marie. Mais la naissance de Cécile est venue tout compliquer, qu'est-ce qu'elle en avait à fiche de Cécile et pourquoi sa mère est morte dans l'accident...

« Maman, maman, ça va ? Tu sais, je vais te dire une chose, je pense que tu es mûre pour l'entendre maintenant : tu devrais faire du yoga... respire. Respire. »

Ma mère la regarde avec mépris, puis lui dit d'un ton las :

« Tu sais, toi, je te l'ai dit déjà... si tu n'avais pas été là, ça aurait été plus simple. »

Dans sa tête que je vois exploser au-dedans, Cécile n'a pas même un instant pour remercier le Christ et Bouddha. Elle reste immobile, ouvre la bouche, mais rien. Elle sort lentement de la cuisine, on dirait un légume. Ensuite, je sens quelque chose bouger sous mon crâne – je ne sais pas que c'est l'onde de choc. Je ne sais pas. Je sens seulement que ça vrille la tête. Heureusement, je vois les ongles de pied d'Anne-Marie.

« Pousse-toi, me dit ma mère, je vais déboucher l'autocuiseur. Ça va faire pshitt, c'est rigolo ! »

Elle ôte le bouchon, la vapeur gicle.

« Tu sais, papa, c'est décidé, je veux faire l'ENA, annonce Jean-Marc à papa avant le dîner.

— Leyna, c'est dans les Alpes ? » je demande, croyant qu'il parle d'un sommet difficile.

Dans le ricanement de mon frère, j'entends que je ne serai jamais à la hauteur.

« Mais non, voyons, rectifie notre père en fronçant les sourcils. L'ENA. L'École nationale d'administration. C'est l'école que j'ai faite.

— Ah, je dis, l'ENA de papa ! » Je me sens tout excité à cette nouvelle, comme s'il y était déjà, lui, Jean-Marc, à l'ENA de papa.

« Mais par la voie externe », ajoute mon frère.

Un début d'affolement intérieur envahit mon père. Bien sûr, par la voie externe ! Il regarde dans le vague, ne sait plus quelle contenance adopter. Jean-Marc, l'ENA par la voie externe ! Lui l'a réussie par le concours interne en étant déjà fonctionnaire, enchaînant les cours du soir avec acharnement. Et Jean-Marc, ce génial touche-à-tout, est capable de l'avoir les doigts dans le nez. Son silence dure trop, il pense que Jean-Marc va se douter de quelque chose.

« Eh bien, je te le souhaite, fils », dit-il d'une voix mal assurée.

Il n'est pas satisfait de sa réponse, il faut rajouter autre chose, mieux l'encourager. Il prend Jean-Marc cérémonieusement par les épaules, le regarde dans les yeux et lui dit à voix basse que l'Administration ne l'a jamais trahi et lui a tout appris.

Jean-Marc sourit, ne comprend pas ce que papa veut lui dire. Il est déjà ailleurs, en train de calculer les examens comme une progression dans une paroi verticale. Il se dégage de l'emprise paternelle.

« En fait, j'aurai dû faire du droit, comme Cécile. J'ai beaucoup de droit à rattraper, mais ce n'est pas grave. »

La cloche sonne.

« À table ! » constate mon père.

Au dessert, ma mère annonce la nouvelle.

« Il faut quand même dire, Robert, qu'on a appris aujourd'hui par Solange Martinet qu'Anne-Marie est enceinte… »

Mon père se recale sur sa chaise, se racle la gorge.

« Mais… mais… de qui ?

— Eh bien de ce Marlon… Marco Molino… Molinari, voyons, Robert.

— Eh bien…, lâche mon père. Ça va peut-être la calmer ? »

La nouvelle indiffère Jean-Marc. Il se lève pour aller au piano. Depuis le Couturier, tout a changé. Il a rompu avec sa professeure en la traitant de vieille connasse – elle avait commencé en le traitant de jeune singe. Maintenant, il joue du jazz.

Le petit dernier

Fini la tenue militaire des poignets comme les cavaliers du cadre noir de Saumur. C'est une libération. Une fille l'a repéré chez un ami. Une du Pont de quelque chose de compliqué, avec deux particules. Elle est blonde aux yeux bleus, des gros seins. Ils ont discuté un peu. Il lui a dit qu'il préparait l'ENA. Mais c'est surtout quand il lui a confié qu'il venait de faire le Couturier qu'elle l'a regardé autrement. Son père venait d'y être secouru par les gendarmes cent mètres avant de déboucher et avait dit à tout le monde dans sa famille que c'était pour les surhommes. Et quand il s'est installé au piano et a commencé à jouer, elle était à genoux. À genoux. En plus, elle lui a dit qu'un de ses cousins dans une école d'ingénieurs cherchait un colocataire sur Paris, qu'il avait déjà trouvé l'appartement. Ça sera lui. Et elle viendra là-bas avec ses gros seins. Il le sait.

11.

« Jean-Paul ? Tu étais encore dans l'ancienne chambre d'Anne-Marie ? »

Je referme la porte et rejoins Cécile dans sa chambre sans rien répondre. Je m'assois sur son lit et la regarde recopier une phrase au feutre noir sur une des portes de son placard.

« Tu savais qu'elle attendait un bébé ? me demande-t-elle.

— Non.

— Tu ne le savais pas ? Je croyais qu'elle t'écrivait ?

— Ça fait un an que je n'ai pas de nouvelles, murmuré-je.

— Et toi, qu'est-ce que tu écris sur le placard ?

— Une phrase de Mère...

— Maman ? » je m'exclame.

Je n'en crois pas mes yeux. Je ne pensais pas que les paroles de maman méritaient d'être écrites quelque part dans la chambre de Cécile.

Le petit dernier

Un sourire d'amertume la traverse, mais, comme le calme de sa voix en témoigne, elle reprend très vite sa contenance de *bodhisattva*. Elle est très forte. Elle tient bon. Elle me rassure, dit des choses simples qui paraissent vraies.

« Tu sais… maman a beaucoup de problèmes… dans le bouddhisme, on appelle "Mère" les femmes gurus. » Elle termine de noter la phrase, rebouche le feutre, puis ouvre la porte qui protège des regards sa bibliothèque mystique.

« Je vais te montrer le livre d'initiation à la doctrine de Mère. »

D'un geste rapide, elle dépile *L'enseignement de Râmakrishna*, *La prière à Jésus*, *L'enseignement de Ramana Maharshi*, *La prière Source de Vie*, *L'enseignement de Sivananda*, *Les évangiles et la Sagesse orientale* et *L'enseignement de Mâ Ananda Moyî*. Un crâne apparaît enfin, auparavent caché derrière les livres.

« C'est un vrai ? je demande un peu dégoûté. Pourquoi tu as ça ?

— Tu veux le voir ? »

Elle le prend et me le montre.

Je considère l'objet, hésite à le saisir.

« Tu as peur ? » dit-elle.

Je constate confusément que j'ai peur de le casser, que cela pourrait lui faire mal, mais c'est absurde puisqu'il est mort, ce crâne. Je le tiens dans mes mains moites.

« Tu vois, on peut même l'ouvrir », ajoute-t-elle en le reprenant. Elle fait pivoter deux petits crochets disposés au-dessus de chaque tempe, et la partie supérieure se transforme en calotte d'évêque couleur ivoire. Sur sa tranche, deux petits picots en métal servent à la réajuster sur l'autre partie vide de cerveau. Elle la remboîte et me tend le tout. Je m'essaie à la manœuvre, constate que la calotte est parfaitement ajustée, un travail de précision, observe sa tranche microporeuse.

— C'est... c'est un vrai. C'est du vrai os ! je m'exclame.

— Oui, c'est un vrai.

— Mais... ça s'achète ?

— Oui, dans les boutiques de fournitures pour étudiants en médecine.

— Et qu'est-ce que tu fais avec ?

— Je le considère comme un instrument de méditation, répond-elle de sa voix la plus calme. Au niveau où je suis parvenue maintenant sur la voie du *bodhisattva* je peux méditer avec le crâne devant moi...

— Du quoi ? je demande.

— Du *bodhisattva*. Le plus haut niveau de la Sainteté bouddhiste. Le *bodhisattva* est dégagé des contraintes matérielles et des chagrins.

— Mais c'est un homme, alors ? »

Cécile affiche un sourire d'infinie compassion.

« À ce niveau de Sainteté, ce genre de différence futile ne compte pas. Des femmes sont *bodhisattva* aussi. »

J'opine de la tête en silence, observe le crâne dans mes mains. Toujours cette peur de lui faire mal. Non, il est bien mort. Je le décalotte moi-même. Dedans, tout est vide. Dessous, il y a un gros trou dans lequel on peut mettre le pouce. À qui était ce crâne ? Je sens la nausée monter, je le rends à Cécile.

« … tout le monde ne peut pas méditer avec le crâne, il faut un certain chemin pour y parvenir », dit-elle.

Elle le replace sur sa bibliothèque mystique et me tend le livre qu'elle me destine.

« Tiens, si tu veux, celui-là est un bon livre d'initiation. *Le Chemin de la Libération*. C'est le plus vendu de Mère. »

Je prends l'ouvrage, le feuillette. Il n'y a pas les mots « Jésus » ou « Dieu » dedans. Ça change un peu. Cécile m'observe en silence, comme un gros chat.

« Tu aimerais aller voir Anne-Marie ? Je vais essayer de t'obtenir cela des parents. Tu sais qu'elle est fâchée avec eux.

— Ben oui. Et avec toi et Jean-Marc aussi ?

— C'est différent. Je ne sais pas. Hein, tu aimerais aller la voir ? comme ça tu nous raconterais aussi... »

La revoir ! À cet espoir, mon cœur s'emballe, bat la chamade.

« Tu crois que tu peux convaincre les parents ?

— Oui, dit Cécile. Le *bodhisattva* peut tout.

— Ça a l'air intéressant ce livre. Je vais le commencer ce soir.

— Je dois réviser, maintenant, il faut me laisser, dit-elle en montrant un cours polycopié sobrement intitulé *Contentieux administratif.* J'ai encore raté l'examen. Je dois repasser en septembre. Tu sais... tu iras loin si les petits cochons ne te mangent pas. »

Je ne comprends pas ce qu'elle veut dire mais je pense que c'est un compliment. Flatté, je souris et file avec le livre.

*

« Il faudrait que Jean-Paul puisse aller voir Anne-Marie, annonce Cécile de sa voix la plus convaincante après le dîner alors que je suis officiellement monté me coucher mais écoute derrière la porte. C'est important pour son équilibre. Vous savez qu'il lui écrit et qu'elle ne répond plus...

— Ça, dit ma mère, c'est certainement depuis qu'elle a accouché… car elle a bien dû accoucher, tout de même !… je suis sûre qu'elle ne l'a même pas fait baptiser. Elle aurait quand même pu nous dire comment il s'appelle. »

Mon père écoute attentivement Cécile. Il comprend qu'elle en sait plus que lui sur moi. Dans l'Administration, c'est pareil. Les Renseignements Généraux remontent les informations aux préfets, qui les remontent aux politiques pour la prise de décision. C'est important d'être à l'écoute.

« Il passe beaucoup de temps tout seul dans son ancienne chambre, poursuit Cécile. Elle lui manque vraiment. Il a l'air content qu'elle attende un bébé.

— Ah ? dit ma mère.

— Il a bientôt treize ans, il peut prendre le train tout seul. Un aller-retour, il la voit, il dort là-bas, comme ça il est rassuré.

— Tu es certaine ? » demande mon père sur un ton suspicieux.

Elle opine de la tête.

« Elle habite où déjà avec ce… ce… Molinari.

— Cannes, voyons, Robert ! dit ma mère.

— Ah, dit-il. Il y a un train direct ? non, il faut passer par Nice…

Il tente de calculer quelque chose, un tarif, une quantité de kilomètres, puis renonce.

« Alors c'est d'accord ? demande Cécile.

— D'accord », lâche enfin mon père.

Ma mère hausse les épaules.

À travers la porte, je vois bien ce qu'elle pense. Elle n'y croit pas. Anne-Marie est vraiment une saleté. Depuis toujours. Et avec ce Marlon Brando, ça ne va pas s'arranger. Il aurait quand même pu se présenter à elle, Marie-Thérèse, avant de faire un enfant à Anne-Marie.

12.

Je la reconnaîtrais tout de suite, même de dos. Elle porte ce genre de jupe que j'aime – elle a pensé à moi, c'est sûr – un peu au-dessous des genoux. Et des chaussures à talons comme à la maison. Je cours vers elle et me précipite sur ses jambes comme la dernière fois dans la chambre, quand elle faisait sa valise, comme si c'était hier et voilà, on est de nouveau ensemble, Cécile n'existe plus, Cécile est une remplaçante, oui, avec Anne-Marie, je suis son Jeannot pour la vie.

Une masse s'intercale entre moi et les jambes.

« Hé ! tu fais quoi, là ? »

La voix, sertie dans un accent du Sud, me fige sur place. Une main au bout d'un avant-bras poilu exhibant au poignet une montre étincelante se pose fermement sur mon épaule, la serre comme une pince.

« Aïe ! C'est ma sœur ! » je crie en remarquant que les ongles de ses pieds sont vernis comme j'aime.

241

La tête toujours baissée à regarder les ongles, je me retourne sous la pression de la main et relève progressivement le cou sur des chaussures de sport, un jean, un tee-shirt bedonnant, un homme brun aux bras poilus et bronzés, un peu chauve, avec des lunettes de soleil en miroir. Ce doit être lui, Marco Molinari.

« Ben oui c'est ta sœur, me répond l'homme. Il paraît que tu es le petit dernier. Enfin, pas si petit que ça pour quatorze ans de moins. Et ta sœur qui bat le beurre, c'est ma nana, tu comprends ça ?

— Laisse, Marco, ça fait des années qu'il ne m'a pas vue », lâche une voix traînante que je ne reconnais pas. Ce qui est au-dessus des jambes et des ongles de pied d'Anne-Marie se retourne, enlève des lunettes de soleil et me tend une joue dans un sourire mécanique.

J'attrape Anne-Marie par le cou et lui colle un gros baiser près de la bouche.

« Ça va, Jeanmajeanpaul ? » lâche-t-elle.

Ça me transperce la tête comme la foudre. Jamais elle ne m'a appelé comme ça. Pourquoi pas Jeannot, comme d'habitude ? Je la dévisage. Mais non, j'ai dû mal entendre, c'est bien mon Anne-Marie, elle n'a pas du tout changé, les yeux noisette sont pareils et, même, le maquillage mieux, très érotique, avec le rouge à lèvres interdit par maman à la maison.

Elle détourne son regard de mes yeux dévorants.

« Tu fais toujours de l'escalade ? » dit-elle sur un ton fermé qui n'attend pas de réponse particulière.

Je pense « l'escalade, c'est Jean-Marc ! » mais les mots restent bloqués dans ma gorge.

« Il n'a pas l'air très dégourdi pour son âge, constate Marco. Quel âge tu as ? Je n'arrive pas à faire la soustraction par quatorze…

— Il est encore avec ma mère, tu imagines… », répond Anne-Marie.

Je reste silencieux. Quelque chose ne cesse de se froisser dans ma tête.

« En tout cas, il ne te ressemble pas du tout ! On a du mal à croire que c'est ton frère… la tête de bougnoule qu'il se paye ! Et les oreilles !

— Mais non… il est mignon comme ça… allons-y… tu vas voir le bébé… il y a du thé », dit-elle d'un ton pâteux.

Du thé. Je retrouve la chaleur d'un terrain connu. Et les talons d'Anne-Marie font du bien à frapper le sol. Mon cœur se remet à battre de plaisir. Je marche à côté d'elle, le chauve de l'autre côté, ce n'est pas grave, les ongles rouges débordent des sandales à talon, ça me gêne un peu mais ils sont bien lisses. Après l'avenue de la gare, on bifurque dans une allée bordée de pins parasols et de palmiers, puis on passe un portail à digicode et on pénètre dans un immeuble neuf. Dans l'ascenseur, comme elle ne peut plus bouger, je la regarde mieux dans le miroir. Elle n'a pas enlevé ses lunettes de soleil, mais ce n'est pas grave non plus puisqu'on va prendre le thé.

« Comment va Jean-Marc ? Qu'est-ce qu'il devient ? Il a vingt et un ans, c'est ça ? demande-t-elle soudain entre deux étages sur un ton nerveux, comme si la sécurité de l'ascenseur en dépendait.

— Dix-neuf ans. Sept ans et demi de plus que moi ! Ça va. Il a fait tout seul le couloir Couturier, mille mètres en vertical dans les Alpes, et il veut faire l'ENA ! je réponds avec l'importance d'un chargé de mission. Il va habiter à Paris en septembre avec un copain. »

Marco siffle d'admiration et d'incompréhension.

« Eh ben, moi, à son âge, on me virait de ma deuxième seconde à coups de pied au cul ! »

Anne-Marie rougit.

— Oui, il y en a qui réussissent, dit-elle froidement. Il est avec une fille ?

— Il paraît, je réponds.

— Elle est comment ? demande-t-elle sèchement.

— On ne l'a pas encore vue. »

Après un silence renfrogné, elle hasarde :

244

« Et la sainte, qu'est-ce qu'elle fait ? Toujours à la maison et fourrée à la messe ? »

Je sais qu'elle parle de Cécile.

« Cécile ? Elle est toujours en Droit et n'arrête pas de redoubler ! Elle fait du yoga. Elle dit qu'elle suit son chemin de vie.

— C'est bien elle, ça "chemin de vie", ricane-t-elle. Et l'autre, toujours aussi folle ? »

L'ascenseur s'immobilise.

« T'arrêtes de te faire du mal, un peu ? intervient Marco. Tu m'as dit que tu n'en avais plus rien à foutre, de ta famille ! »

Dans le couloir, Marco sonne en face et ouvre la porte. Une jeune femme en noir avec un tablier blanc accourt.

« Le bébé dort toujours, madame.

— Merci, Dolorès. Prépare le café… et du thé, lui répond Anne-Marie d'un ton excédé sans la regarder alors que Marco s'éclipse dans l'appartement.

— Tu vois, c'est chez moi, dit-elle en montrant le salon d'un geste de la main. J'ai bien bossé pour en arriver là, et maintenant c'est chez moi.

— Qu'est-ce que tu fais ? je lui demande sans la quitter des yeux.

— Du business, lâche-t-elle après un court silence. Et là-bas, c'est la mer, tu peux aller sur le balcon si tu veux. La mer, pour moi, c'est vital de la voir tous les jours. Je ne peux pas vivre sans la mer. »

Je pousse la porte coulissante de la baie vitrée. Au loin, entre immeubles et batteries d'antennes paraboliques pointées vers le ciel, on distingue à l'horizon un peu de bleu encadré en rectangle. La mer ! J'y fixe mon regard. Quand même ! Que c'est bien de retrouver Anne-Marie ! Les années passées avec elle dans la chambre remontent en moi, nous prenons de nouveau le thé, elle me dit tout et je comprends tout dans un état de béatitude progressivement ponctué de cris de mouettes, non, la mer est trop loin tout de même, de piaillements quelque chose d'aigu et puissant, pénible à entendre – ce doit être le bébé, oui, le bébé crie, je l'entends du balcon s'inviter dans mon bonheur.

« Tu as faim, Jeannot ? »

L'entendre dire cela illumine mon visage comme le courant une ampoule électrique. Oui, j'ai faim, et il y a des *scones* ! Je crie « Oui », quitte le rectangle de mer d'un pas enjoué et repasse la baie vitrée. Là, au salon, sur un canapé, Anne-Marie le bébé dans ses bras, ce Marco absent, ça me fait chaud au cœur, un peu comme de me voir dans ses bras, même si le bébé crie très fort.

Dolorès apporte un biberon et retourne à la cuisine.

« Hein, tu avais faim, mon Jeannot ! » dit Anne-Marie en fourrant le biberon dans la bouche du bébé, faisant taire les vagissements.

Jeannot ? De nouveau ce foudroiement dans ma tête, comme une décharge électrique sur une plaie ouverte.

La bonne réapparaît avec un plateau saturé de tasses, cafetière, théière, pot à lait, pince à sucre et sucrier, rondelles de citron et gâteaux secs, qu'elle pose sur la table basse en verre.

« Prends du thé et des gâteaux, ils sont là », me dit Anne-Marie en regardant le bébé boire.

J'observe le plateau. Ni scones, ni muffins, mais des biscuits industriels, de ceux dont on voit les publicités à la télévision.

« Il n'y a pas de *Marks & Spencer* à Cannes ? je demande prudemment.

— Si, pourquoi ? » me répond-elle.

Je ne sais pas quoi dire. Je pense qu'on ne doit pas y vendre les scones, qu'elle est gênée de ne pas les avoir trouvés. Heureusement, le thé, c'est du *Earl Grey*. De le humer, je retrouve de nouveau mon Anne-Marie de la chambre à moquette vert foncé râpeuse – j'y ai été hier encore, avant de partir.

« Tu sais, j'y suis allé hier !

— Où ça ?

— Dans ta chambre !

— Ma chambre ?

— Oui ! Ta chambre où on est tous les deux pour le thé ! Avec les disques !

— Ah ! dit-elle. Chez les parents ? Mais c'est fini, tout ça. Bois, Jeannot », dit-elle au bébé.

Ça s'écroule dans ma tête comme des cartes à jouer glissantes échouent à monter en château.

« Tu sais, j'ai prévu de voir bientôt *Violette Nozière* et *Dernier Tango à Paris* ! je murmure fièrement tout en ayant l'impression qu'un autre parle à travers moi, mais un autre en voie d'extinction – un moribond.

— *Le Dernier Tango* ? Ah oui, c'est un vieux film, dit-elle. Il y a mieux, maintenant. Les films de X en vidéo. »

Je ne comprends pas à quoi elle fait allusion mais, retrouvant là une de mes habitudes avec elle, je n'ose pas lui demander qui est ce X. Je me renseignerai, et lui dirai ce que j'en pense.

« Tu ne prends pas de thé ? je m'exclame soudain.

— Non ! Je prends du café, maintenant.

— Du café ? Comme maman ? Tu sais qu'elle en est à trois litres par jour ? »

Elle tique. Le bébé grogne. Je remarque qu'il porte une chaînette autour du cou, avec une petite médaille de baptême. Je n'ose pas la questionner plus. Elle a l'air fatigué.

Le petit dernier

Marco réapparaît chaussé de bottines blanches et brillantes, flottant dans un costume laiteux, le haut de sa chemise ouvert sur des gerbes de poils gris. Il lape une tasse de café dans un grand mouvement du buste, répand tout autour une puanteur d'eau de toilette.

« Bon, dit-il sévèrement, tu as fini là ? On va bosser, le bar est ouvert, c'est déjà dix-neuf heures. Va t'habiller, prends deux trucs pour te réveiller et n'oublie pas les clefs du studio cette fois-ci. Dolorès ! »

La bonne accourt, Anne-Marie lui passe le bébé et le biberon, se lève et se dirige vers la chambre.

Je la suis spontanément. La voix du Sud me stoppe net.

« Eh ! Le p'tit dernier ! Tu veux la voir à poil aussi, ta sœur ? T'as les thunes au moins ? » Et il part d'un horrible éclat de rire.

Je rougis, plus d'entendre le ricanement complice d'Anne-Marie dont les talons claquent vers la chambre que de la remarque dont je ne comprends rien. Je me rassois mécaniquement, me reverse du thé et me résous à manger un gâteau sec.

Un bon quart d'heure plus tard, elle sort de la chambre, moulée dans une robe bleu ciel avec des trous sur le ventre. Celui du milieu montre le nombril. Je le reconnaîtrais entre mille. Je l'ai vu tant de fois, dans le cabinet de toilette, lorsqu'elle se change. Il sort en petit bouton sur son ventre plat, tout plat comme la main ! Ses pieds sont sertis dans des sandales aux lanières compliquées, qui montent haut. Les ongles sont toujours rouges comme j'aime. Une reine. En plus, elle a l'air bien plus réveillée que tout à l'heure. Le mot me revient comme ça.

« Supersexy ! »

Elle me regarde d'un air interdit, comme on observe parfois un enfant maladroit ou déficient. Le visage de Marco oscille entre la pitié et l'envie de baffer.

« Jeanmajeanpaul, je dois aller travailler, lâche-t-elle d'un ton convenu en se poudrant le nez devant le miroir de l'entrée. Tu restes avec Dolorès et Jeannot. Sois sage et à demain. »

Observant ma mine déconfite, Marco dit que je suis un fada, un fada, c'est tout. Il a eu un cousin comme ça, mais sans la tête de bougnoule. Il a fait jardinier dans un zoo.

Dans un brouillard, je perçois que chez lui la pitié l'emporte sur l'envie de cogner. Il s'approche de moi et me tapote l'épaule en signe de compassion.

« Tu repars demain, le petit dernier, c'est ça ? À quelle heure ? »

Je m'entends murmurer quatorze heures.

« On sera réveillé. On se verra pour le déjeuner, à midi. Tu ne nous déranges pas, et tu ne t'inquiètes pas si tu entends crier. Dolorès s'occupe de Jean. Pour manger ce soir, le petit déjeuner demain et la télé, vois avec elle. Il y a plein de *Titi et Gros minet*. À demain. »

Anne-Marie, la bouche en cœur, me lance un bisou volant avec la main comme j'ai eu le temps de voir faire Marilyn à la télé avant que ma mère ne ferme le poste en criant. Ils disparaissent derrière la porte, dont le claquement clôt l'hémorragie de mes souvenirs. Devant moi, sur la table basse en verre, les gâteaux dans l'assiette, les tasses vides, ni scones ni muffins, du café, une pince à sucre – même le *Earl Grey*, froid maintenant – tout cela reste muet. Je sens des larmes monter, mais mes yeux restent secs. La tête me cogne. Je bois un peu de thé tiède. Un long moment s'écoule devant les vestiges d'une cérémonie du thé qu'aucune geisha n'aurait osé proposer à son client. Soudain Mitterrand m'apparaît, très net, les paupières lourdes. Mitterrand qu'elle adorait alors qu'il a été réélu ! Elle ne m'a même pas parlé de lui. Le président dit quelque chose, sa voix est faible, se perd dans mon nez, je fais un effort, tends l'oreille, mais tout se ralentit dans ma tête, Mitterrand se délite lentement dans un brouillard visqueux pour rejoindre le néant de la pince à sucre.

Le petit dernier

Le froid me réveille, rien que du froid, un manteau intérieur gelé malgré la chaleur du Sud. La mer... la mer... c'est ce que disait la voix de Mitterrand. Comme par réflexe, mes jambes bougent pour me porter sur le balcon. Oui, la mer, là-bas, le rectangle de mer ! Regarde, disent mes jambes, regarde au loin ! Les yeux mi-clos, je lève la tête, et obéis, lever ces paupières plombées, oui, là-bas, voilà, oui, je sens la chaleur revenir, Anne-Marie a raison, la mer, c'est vital, on ne peut pas vivre sans cela. Je reste sur le balcon jusqu'à l'absorption de l'échantillon de mer par le crépuscule.

La voix de Dolorès me tire de la nuit noire. «Ah ! vous êtes là ! Je vous cherchais partout ! Vous avez faim, monsieur Jeanmajeanpaul ? »

13.

Cécile verse l'eau chaude dans la théière où pendent deux sachets de thé vert.

« Alors, Cannes ? Tu as vu ce Marco Molinari ? Il ressemble à quoi ? »

J'hésite. Je ne sais pas trop quoi penser de Marco. Il ne me laisse pas un souvenir désagréable.

« Il est un peu gros. Bronzé. Plein de poils.

— Mais il est sympa ? Avec elle il est comment ? Elle a l'air heureuse ?

— Oui. Elle est contente d'avoir le balcon sur la mer.

— Elle a demandé des nouvelles ? »

Je fais un effort. C'était la veille et pourtant, tout paraît si loin maintenant, si disloqué dans ma tête, comme des morceaux d'épaves s'éloignant inexorablement les uns des autres.

« Des nouvelles… de toi et de Jean-Marc, oui.

— Et des parents ?

— Non. »

Elle garde un instant le silence. Le Seigneur Bouddha lui accordera cela dans une prière spéciale. Le Seigneur ne lui refuse plus rien depuis sa Visitation le Saint Mercredi du couloir Couturier. Elle est en communication directe avec Lui, maintenant. Il est en elle, elle le sent bouger comme une femme enceinte son bébé. Elle poursuit son interrogatoire d'une voix douce et posée :

« Et le bébé ? C'est un garçon ou une fille ?

— Un garçon. »

— Il s'appelle comment ? »

Je me gratte la gorge, quelque chose d'inaudible sort.

« Comment ?

— Jean, mais elle l'appelle Jeannot, je murmure.

— Quoi ? Le surnom qu'elle te donnait ? »

À mon signe de tête, à ma tête, Cécile ne sait pas quoi dire. Tout à coup, elle en veut à Anne-Marie, a envie de dire du mal de son bébé. Elle se retient, regarde les portes de son placard, tente d'y trouver une inscription qui l'aide, tiens, celle de Mâ Ananda Moyî, elle l'a écrite la semaine dernière : *Un sâdhak doit être particulièrement attentif à ce qu'il dit. Jamais au grand jamais ne doit-il articuler une malédiction.* Ne pas dire du mal.

« Mais c'est qu'elle doit t'aimer beaucoup pour avoir surnommé son bébé comme toi et... c'est très bien de vouloir un bébé. »

Soudain, ça vient comme ça, je me rappelle quelque chose que lui a dit Anne-Marie un jour dans sa chambre, il y a longtemps.

« Maman, elle ne te voulait pas, c'est ça ? Elle te l'a dit, hein ? »

Cécile se raidit. Je vois qu'elle est sur le point de pleurer. Elle Lui demande la force de garder la face, Il la lui accorde.

« Comment le sais-tu ? dit-elle doucement, comme un vrai *boddhissattva.*

— Je le sais, c'est tout ! Maman te l'a redit dans la cuisine la semaine dernière... »

Elle garde le silence. Demande dans sa tête à Mâ Ananda Moyî s'il faut me parler de l'année 1975, des circonstances de ma naissance. Mâ répond non, pas question, pas maintenant.

« Tu sais, maman est quelqu'un qui a beaucoup souffert. Sa mère prenait...

— ... des bains toute habillée, je sais. Et il y a eu l'accident.

— Mais tu sais beaucoup de choses... »

La voix de notre mère monte de la cuisine.

« Jeanmajeanpaul ! viens mettre le couvert ! »

Cécile me fait un clin d'œil. Ses yeux bleus, stables comme le ciel en plein jour, me transfusent une douce confiance.

« Tu reviendras prendre le thé, hein ? On a plein de choses à se dire. »

Je n'articule rien, souffle juste par le nez une suite de « m » avec la gorge en signe d'approbation. Je ressens une chaleur nouvelle, comme celle qui existait avec Anne-Marie. Je ne pensais jamais cela possible avec Cécile. Elle trop belle, finalement, avec ses yeux bleus.

« J'arrive ! » je crie en dévalant l'escalier le cœur battant.

Je mets la table avec beaucoup de gaîté. Ensuite, je me plongerai dans *Le Chemin de la Libération*, le livre de Mère.

*

Depuis le départ de Jean-Marc, la maison est très calme. On n'entend plus ni piano, ni jurons, ni courses folles de cardiotraining dans l'escalier ou contestations de scores de parties de balles rebondissantes. Lorsqu'il revient parfois le dimanche avec du linge sale, il réinstalle quelques heures ses anciennes habitudes, le piano surtout, et je ressors la balle du tiroir.

Le petit dernier

« On en fait une ?

— D'accord, lapin. »

On joue comme avant, mais ensuite, Jean-Marc s'en va dîner à Paris dans la colocation que mon père a accepté de lui payer. À table, Cécile a pris sa place. J'ai quitté la place entre mon père et ma mère et fais dorénavant le service à l'ancienne place de Cécile. Ma mère dit que dans la mesure où Cécile mange ses repas spéciaux – pour ne pas dire dégueulasses, ajoute-t-elle en ricanant – elle ne peut pas tout faire et apporter les autres plats. Je suis satisfait de cette nouvelle géographie car je suis dorénavant face à Cécile. Je la regarde manger avec fascination. Elle broie les aliments lentement, comme un vrai yogi, en fermant bien la bouche, et déglutit en silence. Jamais, comme mon père, elle ne parle en mangeant. Et ses yeux bleus me regardent tout le temps.

Lorsqu'il passe à la maison, Jean-Marc parle aussi beaucoup avec notre père. Des épreuves du concours de l'ENA. Des questions de culture générale surtout. Ils prennent des petits verres de digestifs et fument le cigare tous les deux au salon, ça empeste, me fait tousser – ils me regardent en s'excusant à moitié – je n'ai qu'à jouer aux billes ailleurs.

« Et alors ? demande ma mère toute frétillante. Il paraît qu'il y a une fille ? »

Jean-Marc joue à l'homme expérimenté.

« Elle s'appelle Marie-Bénédicte. Elle est X, son frère, son père et sa mère sont X aussi. Et son père a échoué à faire le Couturier. Je compte vous la présenter bientôt – au printemps prochain ? »

Ma mère n'ose rien demander de plus pour l'instant. Elle suppose que cette fille est catholique et qu'ils ne couchent pas, mais n'y croit pas trop. Enfin, ce n'est pas sa fille, après tout.

Je suis fier pour Jean-Marc, mais intrigué par tous ces X. J'ai peur de passer pour un idiot. En tout cas, à voir la tête que fait mon père, ça a l'air important. Ça me rappelle quelque chose. Anne-Marie m'avait parlé de ça, les films de X. Peut-être que, dans cette famille, ils font tous du cinéma.

*

« Les plus forts d'entre nous sur le Chemin de Vie sont appelés à accomplir des actions remarquables, qui le plus souvent échappent à la compréhension de leurs proches. Parmi ces actions, la méditation suprême sur le néant de soi est la plus exigeante. »

Je bois les paroles de Cécile assise en lotus, un peu hiératique. Je me jetterais par la fenêtre si elle me le commandait. Les portes de ses placards sont maintenant couverts de dictons, citations, maximes de saints de toutes confessions et yogis de toutes tendances. Elle passe la plus grande partie de son temps à méditer et à lire des écrits sacrés.

« Tous les mystiques de toutes les religions parviennent au même but par des moyens différents. Dieu est le même pour tous au-delà des différences.

— Et tes études de droit… tu vas les continuer ? »

Elle lampe un peu de thé – pas trop, juste de quoi hydrater le corps matériel, dit-elle.

« J'ai compris quelque chose à propos de mes études de droit. Tu sais que j'ai redoublé chacune de mes années… eh bien c'est un signe.

— Un signe de quoi ?

— Dieu ne veut pas que je fasse du droit.

— Moi, je ne sais pas encore ce que je veux faire. Je n'ai même pas quatorze ans, alors.

— Toi ? Mais toi, tu feras de grandes choses si les petits cochons ne te mangent pas ! »

J'aime bien qu'elle me dise ça. Je ne comprends pas qui sont ces cochons, mais j'aime bien. J'interroge Cécile comme un disciple son Guru.

« Pourquoi Anne-Marie ne voit plus personne ?

259

— À cause de la mort de Bonne-maman. Quand Bonne-maman est morte, elle est devenue différente.

— Pourquoi ? »

Cécile regarde au loin.

« Bonne-maman nous a élevées Anne-Marie et moi après l'accident. On est resté plusieurs années chez elle, on est allé à l'école au village. C'était formidable. Ensuite, il a fallu retrouver maman. Et tu vois comme elle est. Tu comprends ?

— Bien sûr.

— Quand Bonne-maman est morte, tout s'est écroulé pour Anne-Marie. »

Heureusement que Cécile est là. Dire qu'elle était là depuis toujours et que je ne l'avais pas vue. C'est un mystère. On en parle de temps en temps avec mon copain Michel parce qu'il me questionne. Il veut savoir ce que ça fait d'avoir des très grandes sœurs. Lui, il ne sait pas ce que c'est, il a seulement un grand frère. L'autre jour, il m'a quand même dit qu'à force de m'écouter en parler, il avait l'impression que des très grandes sœurs chez soi ça ressemblait à un boa constrictor dans sa chambre. J'ai haussé les épaules. Il ne sait vraiment pas ce que c'est qu'un boa. C'est ridicule à côté d'avoir des très grandes sœurs.

III

1.

Ma mère regarde le calendrier des postes accrochés au mur au-dessus de la planche à pain. 21 janvier 1989. 89. Le début de la fin. Et le 21 janvier, en 93, ça avait été au tour de Louis XVI. À la radio, on entend ce Jack Lang ministre du bicentenaire. Dire qu'elle a fini par voter pour eux. Elle n'en revient pas. Ce Mitterrand a quelque chose de rassurant. Peut-être parce qu'il a réussi à étouffer les communistes. Tel un hybride de gorille et de serpent à sonnettes, l'hypnotisant de son sourire énigmatique, il a accueilli le parti communiste et l'a compressé dans ses bras noueux jusqu'à la moelle des os. Alors elle a cru mon père quand il lui a dit que les socialistes français ne sont pas des Soviétiques. Après tout, ils lui ont donné de la promotion. Il est devenu chef de service au ministère du Budget, avec des primes intéressantes. Il est fier d'avoir dépassé en grade d'anciens camarades de l'ENA. Il le dit tout le temps : « Moi, l'Administration m'a donné la mamelle. » L'ENA, il le répète depuis que Jean-Marc veut la faire, il l'a eue à l'arraché en travaillant le soir, pas comme tous ces enfants de bourgeois nés avec une cuiller en argent dans la bouche. Et voilà, il les a coiffés au poteau et leur donne des ordres, maintenant. Elle l'a laissé aller à Paris avec Jeanmajeanpaul, voir un film d'espions. Il y a des bonnes critiques dans *Témoignage Catholique*.

La tête encore pleine d'images de crypto-Soviétiques démasqués par l'habileté des agents de l'Ouest, mon père et moi bifurquons rue de Rivoli, descendons dans la station Halles, déambulons dans un dédale de couloirs jusqu'à rencontrer une rangée de machines à tripodes qui a depuis longtemps remplacé les poinçonneurs.

« Vas-y, si tu veux », dit mon père pendant qu'il cherche son ticket dans sa poche.

Je sors ma carte mensuelle et en extirpe le coupon. À peine le précédent voyageur a-t-il fait tourner le tripode que j'introduis le billet dans la fente aspirante. Je sais très bien reconnaître le moment de l'aspiration dans la fente jusque-là inerte. Il se déclenche avant la fin de la course du tripode, si bien qu'il est possible de suivre le flot dans un mouvement harmonieux, à condition d'introduire doucement le ticket dans la fente, comme on présente un témoin au coureur suivant dans le 4 × 100 mètres. Sinon, on bute dans le tripode et le coupon se plie contre la machine.

Là, ça a bien marché encore. Comme dans du beurre, un beau mouvement continu, comme s'il n'y avait pas eu à franchir de barrière. Je souris de satisfaction en replaçant le coupon dans sa carte mensuelle. En relevant les yeux, je vois des policiers s'approcher de moi. Trois. Je ralentis le pas, ils accélèrent. Ils me barrent le passage maintenant. Mes jambes deviennent lourdes. Qu'est-ce qu'ils me veulent ? Un renseignement ? Je pense qu'ils ont peut-être cru que je n'avais pas de billet, mon passage du tripode a été si gracieux qu'ils n'ont sans doute pas vu mon mouvement de main avec le coupon vers la fente aspirante, ils ont cru que je simulais, c'est ça, certainement, ils n'ont pas compris que j'étais en règle. Je frissonne, j'ai envie de leur dire que je fais grand pour mon âge mais n'ai que quatorze ans. Je ne comprends pas pourquoi, mais j'ai envie de leur dire que je suis trop jeune pour être déporté. Maintenant devant moi immobile, ils me détaillent. Pardessus en velours côtelé marron traînant au-dessous des genoux. Cheveux noirs mi-longs. Teint basané. Yeux noirs de crapaud. Gros nez. Tes papiers, dit l'un d'eux. Je fouille nerveusement dans ma poche intérieure, balbutie quelque chose en pensant pourquoi moi, c'est la police, ce n'est rien, me retourne pour voir où est mon père. Il passe un tripode, il va venir leur dire de me laisser. Tes papiers, tourne-toi ! répète le policier. Je me retourne vers eux et balbutie que je n'ai que ma carte mensuelle, la leur montre. L'un d'eux la prend et l'examine, dit qu'elle est falsifiée. Il ricane, puis lâche « tu nous suis ». Je me liquéfie sur place. Mon père, posté à deux mètres de là, regarde la scène en esquissant des gestes confus. L'un des policiers lui fait un signe de tête qui signifie « qu'est-ce que tu as, toi ? tu veux qu'on t'embarque aussi ? ». Mon père avance cérémonieusement comme devant l'empereur de Chine, leur sourit. Il est avec moi, dit-il obséquieusement en bougeant les bras d'un air embarrassé. Les policiers le dévisagent. Sa tête de clergyman anglais ne colle pas avec celle du basané, mais enfin, les deux ont l'air de se connaître. Je… je suis son père ! bégaie-t-il sur un ton d'excuse. Le policier me rend ma carte mensuelle, me rappelle qu'il faut avoir ses papiers sur soi, et les trois nous tournent le dos pour se diriger vers un recoin d'où ils peuvent observer les tripodes sans être vus.

Je suis soulagé de ne plus les voir devant moi, mais ne parviens pas à bouger. Mon père dit quelque chose, parle de journal, se dirige vers le kiosque, puis revient quelques instants après. On y va, fils ? dit-il en me tapant sur l'épaule droite. Je m'entends lui répondre oui. On emprunte l'escalier mécanique qui mène aux quais. Deux marches plus haut que lui, j'observe sa calvitie masquée par les cheveux grisonnants rabattus en avant. Comme je reste mutique, mon père lit le journal pendant tout le trajet jusqu'à la maison. J'ai l'impression qu'une paroi transparente s'est intercalée entre lui et moi. Une fine paroi de silence, dure comme le diamant.

*

Cécile sait qu'il va se passer quelque chose cette nuit. Le Christ, tel qu'il lui est apparu lors de son Mercredi Saint du couloir Couturier sous la forme de Jean-Marc, lui a délivré en rêve un très bref message. C'était la semaine précédente : comme à son habitude, il est très beau, et toujours sous les traits de Jean-Marc : revêtu d'un simple baudrier glorifiant, à la manière d'une icône, le corps nu et musclé de son frère, coiffé de l'attribut mystique du casque d'escalade, il brandit un piton à glace en guise de sceptre. Sur le casque, très lisible, l'inscription « 21 JANVIER 89 » en lettres majuscules, fait écho à l'inscription infamante « INRI » figurant sur la Croix. Elle comprend ce rêve dès son réveil. L'escalade est une façon de parler de la Voie, de l'Élévation mystique. Elle l'a vérifié dans ses livres. C'est constant. Elle avait d'ailleurs inscrit sur son placard une citation de Sivananda. *Plus vous avancez dans votre sâdhanâ, plus vous vous élevez dans la pureté, dans la paix, dans la lumière, dans l'harmonie, dans la joie.* Tout le monde utilise le verbe *monter* pour se purifier. Jamais descendre. L'inscription parle d'elle-même : il la visitera de nouveau le 21 janvier 1989.

Ce soir, elle dîne plus légèrement que d'habitude : germes de sarrasin à l'huile de pépin de courge, un verre d'eau. À ses côtés, ses parents et Jean-Paul se remplissent de soupe, de lasagnes et de camembert. Elle reste attablée jusqu'à leur dessert – du flan aux pruneaux – écoutant compassionnellement son père évoquer la nature juridique du Domaine privé de l'État, faisant volontiers le service, ne prêtant pas le flanc aux remarques acerbes de sa mère prise dans les rets d'un *karma* néfaste qu'elle, Cécile, contribue à redresser par ses exercices spirituels car, dit Sivananda, *Une fois devenu un sage vous pourrez revenir dans le monde, et apporter une aide spirituelle aux humains.* Par anticipation, elle n'en aide pas moins à faire la vaisselle. Après avoir souhaité une bonne nuit à tous, elle monte enfin dans sa chambre pour se préparer à Sa venue. Elle règle son réveil à trois heures du matin, mais c'est inutile – elle se réveillera spontanément juste avant la sonnerie, elle le sait.

À deux heures cinquante-neuf, tout est parfaitement silencieux dans la maison. Elle neutralise le réveil, quitte sa chemise de nuit, allume une grosse bougie parfumée qu'elle pose au sol, ouvre le placard, sort le crâne et le place à côté de la bougie. Elle s'assoit devant en lotus et commence la méditation : quinze expirations complètes les yeux fermés, quinze les yeux ouverts à contempler le crâne avec compassion. Enfin, elle tourne le dos au crâne et récite les mantras que préconise Mère.

Après cet échauffement d'un quart d'heure, elle se lève et remet sa chemise de nuit. Elle ne doit pas se présenter nue devant Lui, car Râmakrishna a dit : *Parfois je suis vêtu et parfois je suis nu.* Lui peut être nu, cela ne la dérange pas, Il fait ce qu'Il veut. Elle doit rester chaste. Elle s'allonge sur le ventre, les bras tendus, les paumes collées au sol, la tête sur le côté droit, et commence la prière à Jésus : *Jésus-Christ Fils de Dieu, aie pitié de moi, pécheur.* Elle la murmure d'abord, cinquante fois. Ensuite elle la fait tourner dans sa tête, automatiquement, comme une respiration. Elle pressent Sa venue, son ventre chauffe, elle Le sent qui s'insinue en elle, elle gémit, il remue dans ses entrailles, oui, Il est là, Il est là, Sa chaleur irradie, elle sent sur sa chemise de nuit le contact du Saint Baudrier et du Saint Piton à Glace – heureusement qu'elle n'est pas nue, cela serait trop fort. Il lui murmure quelque chose – Mère ! Mère est là également, auréolée de lumière à Ses côtés, elle ouvre ses bras, lui parle aussi, le message est confus, trop lointain pour être audible : Va ? Va à ? Va à Balsoua ! Lui, le Christ-Roi-Des-Sommets approuve de la tête ce que dit Mère : ils disparaissent soudain. Elle veut en savoir plus, se maintient quelques instants immobile mais c'est fini, la communication est rompue, Il fait ce qu'Il veut. Alors elle récite un mantra et un *Je vous salue Marie*, puis se relève, se met à genoux, prend le crayon papier posé sur sa table de nuit et note sur la page de garde du recueil des dernières conférences de Mère le mot « Balsoua », car elle craint de ne pas se souvenir exactement de la Visitation. Comme un rêve, cela disparaît au réveil. « Balsoua », donc. Elle se renseignera demain. Épuisée, elle range le crâne, éteint la bougie, se glisse dans son lit et s'endort.

Elle se réveille tard. Le soleil, déjà haut dans le ciel, cogne ses paupières dans une chaleur délicieuse, la baignant d'une lumière lui rappelant vaguement quelque chose. Elle se lève, effectue le Salut au soleil, récite un *Notre Père*, va à son cabinet de toilette se passer de l'eau sur le visage, s'habille, prend le livre des conférences de Mère et descend au rez-de-chaussée d'un pas cérémonieux. Au salon, elle cherche le mot « Balsoua » dans le dictionnaire encyclopédique en vingt volumes. En vain. Aurait-elle mal noté ? Préoccupée, elle se rend à la cuisine où flotte cette terrible odeur de café et prépare son petit déjeuner sous l'œil torve de sa mère terrestre au karma défectueux : un verre de lait de soja, deux biscottes sans sel et un bol de fromage blanc zéro pour cent saupoudré de levure de blé.

« Après ce que tu as pris hier soir, c'est tout ce que tu manges ? entend-elle sans un « bonjour » préalable.

— Cette nourriture est bonne pour mon corps matériel », répond-elle sur le ton d'une *bodhisattva*, le même que celui du Christ lors du Sermon sur la Montagne.

Tête baissée dans le livre de Mère, elle mastique lentement sa première biscotte, réduit en bouillie la moindre miette. L'estomac, puis l'intestin, ne doivent recevoir qu'une substance adaptée à leur fonction. Les bruyants soupirs maternels-terrestres ne lui procurent pas la paix adéquate pour sa lecture – mais ces éructations ne sont-elles pas des illusions à surmonter, une invitation au détachement des objets des sens ? Mâ Ananda Moyî dit que lorsqu'on se sent attiré par Dieu on perd tout intérêt dans les *vishaya*, les objets des sens, maman comprise. Son regard tombe d'ailleurs sur une citation de la guru qui la conforte : « Un *vishaya*, c'est ce qui contient un poison et mille dangers et qui entraîne l'homme vers la mort. Mais être libéré du *nirvishaya*, du monde des objets des sens, être là où ne subsiste aucune trace de poison, c'est l'immortalité. » Le poison des graisses cuites polysaturées. Cécile ferme le livre et relève la tête pour goûter le sens profond de cette phrase. Être libérée du *nirvishaya*... elle en tient le bon bout... mais que veut donc dire « Balsoua » ? Elle rouvre les yeux, boit un peu de lait de soja, entame la réduction en bouillie de sa deuxième biscotte et compulse le lexique pour se remémorer la définition que donne Mère du mot *bodhisattva*. Mais voici qu'à la liste des « B », son regard rencontre l'entrée « Bhalswa » et s'y arrête. « Balsoua » ! Comment n'y a-t-elle pas pensé plus tôt ? Elle feuillette fébrilement jusqu'à la page indiquée, oui, c'est bientôt, là, elle saura ce qu'Il lui a réservé, et voici : Mais elle le savait ! Bhalswa, c'est l'Ashram de Mère, là où Elle se tient, à New Delhi. Bhalswa !

Transfigurée, elle se lève, se sent en apesanteur. C'est là-bas, sa vie. C'est là-bas, sa vie. C'est là-bas, Bhalswa. Déambulant lentement dans la cuisine, elle récite un mantra à voix haute. Marie-Thérèse, occupée à filtrer son café, sursaute, manque de renverser de l'eau bouillante sur ses mains.

« Il y en a marre, marre, marre de tes trucs ! Tu fais ça dans ta chambre ! »

Cécile la contemple du regard de Bouddha sur les êtres et les choses.

« Et arrête de me regarder comme ça ! »

Elle sourit encore et sort de la cuisine. Le *vishaya Marie-Thérèse* ne l'atteint pas. Sa place est dorénavant à Bhalswa. Avec Mère elle-même.

2.

Au deuxième étage, la chambre d'Anne-Marie est comme un décor mort qui sert pour les amis. Je ne ressens plus rien lorsque, parfois, à la demande de ma mère, je vais y refermer la fenêtre qu'elle avait ouverte pour aérer. Deux étages, c'est vraiment trop dur à monter rien que pour ça, dit-elle.

Avec Cécile, là-haut dans sa chambre, nous sommes à l'abri. Assise en lotus, elle verse le thé dans les tasses. Ce jour-là, son silence est inhabituel. Dense. Épais comme ces pâtisseries orientales à profusion disposées sur une assiette placée entre nous.

« Sers-toi, Jean-Paul, cette nourriture abondante est pour toi », me dit Cécile en souriant énigmatiquement.

Assis en tailleur faute d'avoir les genoux assez souples, je me jette sur une corne de gazelle.

« J'ai quelque chose d'important à te dire, es-tu prêt ? »

J'opine de la tête.

« Je vais te dire quelque chose que je n'ai dit qu'à Colette et pas encore aux parents. »

Je rougis, me sens flatté d'être dans la confidence.

« Voilà. J'ai récemment expérimenté *turîya*, lâche-t-elle.

— Ah !?... dis-je prudemment en reprenant immédiatement une autre corne de gazelle, comme pour parer à toute éventualité.

— Tu sais que c'est le 4ᵉ état de l'esprit, l'état de libération dans le *brahman*...

— Ah oui...

— Ramana Maharshi dit... tu te souviens de Ramana Maharshi ?

— Oui, oui, bien sûr.

— Donc, Ramana Maharshi dit qu'il n'existe que trois états : la veille, le rêve et le sommeil profond. *Turîya* n'est pas un quatrième état, il est ce qui est sous-jacent aux trois états. Mais les gens ordinaires ne comprennent pas cela facilement. Voilà pourquoi on dit que *turîya* est le quatrième état et la seule réalité. »

Je déglutis ma dernière bouchée de corne de gazelle, lampe ma tasse de thé, m'en reverse et choisis un baklava. J'aime vraiment quand elle parle. Quand elle parle, je me sens quelqu'un.

Le petit dernier

« En fait, poursuit Cécile, *turîya* n'est séparé de rien, car il forme le substrat de tout ce qui existe. Il est la seule vérité ; il est l'Être même. Les trois états apparaissent sur lui en tant que phénomènes éphémères et s'y fondent ensuite. Tu me suis ?

— Mais oui...

— Eh bien, j'ai été visitée récemment par le Christ et la Mère alors que j'expérimentais *turîya* », lâche-t-elle cérémonieusement.

J'arrête de mâcher mon baklava et regarde la théière. Mon cœur bat plus fort.

« Ça... ça doit être impressionnant, j'ose un peu confus.

— Tu as raison. C'est très impressionnant.

— Et... qu'est-ce qui va se passer ?

— Je suis appelée à réaliser la conscience de Bouddha, qui est la même que la conscience du Christ ou de Mahomet. Je dois aller dans l'ashram de Mère, en Inde. À Bhalswa. Je me suis renseignée, ils peuvent me recevoir. Je pars la semaine prochaine pour commencer mon noviciat. Je voulais que tu sois le premier à le savoir dans la maison. »

J'avale mon baklava avec difficulté.

« Tu pars la semaine prochaine ?

— Oui. Et je voulais te dire que je te donne ma chambre. Tu seras plus au large, plus indépendant. Et... motus ! J'en parlerai aux parents deux jours avant de partir. »

Elle s'en va ! Alors c'est maintenant ou jamais, je pense. Je me racle la gorge.

« Avant que tu partes, je voulais te poser une question. C'est quelque chose que je ne comprends pas.

— Je t'en prie, dit-elle sur le ton de celle qui peut dorénavant répondre à toute question concernant la Voie.

— C'est quoi, les films de X ? »

Un bref silence témoigne qu'elle cherche quelque chose dans sa tête, que les films de X doivent être importants.

« C'est bien que tu me poses cette question. Tu en as entendu parler ? me demande-t-elle avec la plus grande compassion possible.

— Eh bien… la fiancée de Jean-Marc, Marie-Bénédicte, et ses parents aussi… ils sont X, non ? Et puis Anne-Marie, à Cannes, elle m'a dit que les films de X, c'était mieux que *Le Dernier Tango à Paris.* »

Cécile rougit, a honte de rougir et en rougit de plus belle – car une *bodhisattva* ne rougit pas.

« Tu ne sais pas ?

— Ce sont des films où des gens font l'amour pour de l'argent, lâche-t-elle avec dédain. Des films pornographiques. Mais l'X, ça n'a rien à voir, c'est une grande école. L'École polytechnique. Il faut faire beaucoup de maths pour y entrer.

— Ah… » je réponds cramoisi.

Je n'ose pas répéter ce mot. Polytechnique ? Non, pornographique. Ça me rappelle quand Anne-Marie disait « sexy ». Cécile, avec ses yeux bleus de ciel innocent, ses cheveux blonds d'Ingrid Bergman, elle dit ça tout simplement : « pornographique ».

*

Avant de partir, Cécile dîne avec Jean-Marc et Marie-Bénédicte dans une pizzeria. Elle peut bien faire une dernière entorse à son régime alimentaire. Elle constate que Marie-Bénédicte est blonde aux yeux bleus comme elle, et que Jean-Marc est toujours aussi beau et a l'air heureux. Étant sur la Voie du *bodhisattva*, elle pense être pour quelque chose dans leur rencontre. Ça lui fait plaisir. En les quittant, elle les embrasse avec ferveur en récitant des mantras.

Je la regarde préparer ses valises. Ça me rappelle quand Anne-Marie faisait la sienne. Cécile en prépare deux : une grande de livres, une petite de vêtements.

« Je te laisse le crâne, me dit-elle en refermant son placard, je n'en ai plus besoin. »

Je n'ose pas lui demander quand elle reviendra. Elle reviendra, bien sûr.

Le petit dernier

Le matin de son départ, elle laisse l'adresse de l'ashram de Mère et dit qu'elle écrira. Il n'y a pas de téléphone là-bas. Elle répète à nos parents qu'elle me donne sa chambre. Elle me serre très fort dans ses bras, puis embrasse nos parents sobrement, le demi-sourire de Bouddha sur la face. Les bras ballants, mon père la regarde partir vers le taxi. Elle ne veut pas être accompagnée à l'aéroport. Après tout, pense-t-il, si c'est ce qu'elle veut faire, qu'est-ce qu'on y peut ? Ce n'était pas très satisfaisant qu'elle redouble toutes ses années de droit comme ça, mais quand même, elle aurait pu le dire plus tôt. Prévenir deux jours avant de partir, c'est un peu rude. Ma mère pleure, se sent abandonnée, même si Cécile lui a confié que le père Brisemur avait béni sa démarche au nom de l'œcuménisme. En même temps, elle-même avait toujours voulu ça : être religieuse, ne pas dépendre d'un homme et devenir une Sainte. Heureusement, Jean-Marc viendra de temps en temps avec Marie-Bénédicte. Elle remplacera un peu Cécile. C'est vraiment une fille très bien, et il est entre de bonnes mains. Elle a quelques années de plus que lui et travaille dans un bureau d'étude pour l'aviation. Robert dit qu'elle est très forte. Elle lève le bras vers Cécile en signe d'adieu, comme *Colombo*.

Dès que Cécile disparaît au bout de la rue, je vais au salon regarder dans le dictionnaire encyclopédique s'il y a une photo de là où elle va, Bhalswa, en Inde, près de New Delhi. Non, il n'y a pas de photo, ce doit être trop petit pour en mériter une, mais il y a une ligne de texte. C'est écrit petit mais on peut y lire ceci : À Bhalswa se trouve, à ciel ouvert, une des plus grandes décharges à ordures du monde.

3.

« Vous allez voir ! Celui-là, *Partouze dans la baie des Anges*, c'est le top ! Les mecs et les nanas sont comme nous. Quand ils baisent on voit bien qu'ils aiment ça. Ils ne font pas semblant. »

Marc presse le bouton « play » de la télécommande et se rassoit sur le canapé, à côté de Michel et moi. Une musique obsédante commence, un générique défile sur fond de villa méditerranéenne.

Je m'éclaircis la gorge. Un film de polytechnique comme dit Cécile, non, pornographique, enfin… X. Je n'ai jamais vu ça mais je ne veux pas passer pour un idiot.

« Évidemment, c'est vrai, je réponds en familier du genre. Mais… je croyais qu'on devait réviser les maths ?

— Ben oui, répond Michel. Marc, il faut qu'on révise les maths…

— Merde, c'est aussi important de faire ton éducation, frérot ! lâche Marc. Tu as quatorze ans, faut quand même que tu voies un porno, non ? Tu feras tes maths après. »

Michel hoche la tête, ne peut pas cacher son excitation.

« Et je vais vous montrer, poursuit Marc, il y a une blonde, elle est super bonne.»

Le film commence, ça ne traîne pas. J'en ai les yeux exorbités. Alors c'est comme ça faire l'amour. Une horrible chaleur monte de mes reins. Michel garde les yeux rivés sur l'écran, la bouche entrouverte, la braguette tendue à bloc. Marc, plus habitué, observe, l'air gourmand, tant le film que moi et son frère. Dix minutes plus tard, il s'exclame entre deux ahanements provenant de la télé :

« Là ! Vous voyez, là ? La blonde dans le fauteuil ? »

L'écran est saturé de gens nus les uns sur les autres. On ne sait plus où donner de l'œil. Marc indique de l'index le coin où une femme blonde se trouve assise jambes écartées dans un fauteuil club, la tête d'un homme entre les cuisses. Ensuite elle se lève, s'agenouille sur le fauteuil et présente ses fesses au type.

« Ah ! s'exclame Marc, elle est bonne, celle-là, hein ? Elle est bonne, non ?

— Ah oui, tu as raison ! on répond en chœur.

— Je vais mettre sur zoom et pause, comme ça vous verrez mieux et on pourra se branler. »

L'image grossit, puis se fige.

« Attendez, je vais chercher du pq », rajoute Marc.

Je crois avoir mal compris. Il veut qu'on se masturbe dans le salon devant la télé ? Tous les trois en même temps ? Moi, je fais ça dans mon lit… je n'ose pas le faire répéter, il m'inspire confiance, c'est l'aîné. Le voilà qui revient avec un rouleau de papier toilette et nous en distribue des feuilles. Pour montrer l'exemple, il a déjà sorti sa queue et Michel a libéré la sienne, trop longtemps comprimée.

« Déconnez pas, les gars, hein, n'en mettez pas sur le tapis. »

Décontenancé, j'ouvre ma braguette et sors aussi la mienne.

On s'avance tous les trois vers l'image figée de la fille au fauteuil et on se besogne en la regardant.

« Allez les gars, regardez comme elle aime ça ! » dit Marc.

Je fixe l'image – c'est puissant, elle est très belle, ses dents, son cou, elle veut de moi, oui, oui ! – je pars le premier, en mets par terre, perds presque connaissance tellement c'est fort, me reprends, me baisse pour essuyer, entends Michel crier, puis

Marc, c'est vrai, il a raison cette fille est trop bonne. Marc appuie sur « play » et la voilà maintenant qui bouge, qui parle même, qui parle avec la voix, la voix, la voix, je m'empourpre, la voix d'Anne-Marie – c'est Anne-Marie avec une perruque blonde.

« Ça va, frérot, ton copain ? Il n'a pas l'air d'aller bien.

— Je dois y aller, je dis en reprenant mon cartable.

— Bon, eh ben salut ! À demain, dit Michel. Mais… on ne fait pas les maths ?

— Ça va aller ! Salut ! » je réponds.

Alors Anne-Marie fait ça. Je pars de chez Michel en courant, cherche à refroidir en la fouettant de vent cette chaleur malsaine qui ne quitte plus mon visage. Arrivé à la maison, je cours au premier étage m'enfermer dans la salle de bains. Rester sous la douche. Laver ça. Alors elle fait ça. Se laver de ça. L'eau coule un long moment, draine, emporte les images, l'image d'elle.

Je sors de la douche et me sèche, monte au deuxième étage dans ma chambre me mettre en pyjama, passer mon peignoir. Habillé ainsi, dans l'ancienne chambre de Cécile devenue ma chambre depuis son départ, j'ai le sentiment de retrouver une innocence, ou de justifier ce qui s'est passé en endossant des habits plus compatibles avec mes habitudes, des habits proches des draps qui le matin racontent la nuit par des petites zones empesées.

Je sors de ma chambre, regarde le sol du rez-de-chaussée par la cage d'escalier, l'étroite spirale des deux rampes en bois. Deux étages. Le dallage n'est pas en marbre, mais en comblanchien, dit mon père. Tout est vide, désert, ponctué de discrets bruits de casseroles, de couvercles, venant de la cuisine où ma mère prépare le repas du soir. Derrière moi, la chambre d'Anne-Marie, à la moquette vert foncé râpeuse, dont je n'ouvre plus jamais la porte. Sous mes yeux, l'escalier qui a tant de fois supporté les allées et venues frénétiques de Jean-Marc s'entraînant au cardiotraining, et les vociférations de ma mère contre Anne-Marie, Cécile – et Jean-Marc aussi, justement, ses cheveux longs, ses injures, sa manière de hurler comme elle – un jour, il avait cassé sa porte du pied en criant « chier, chier, chier » et elle avait hurlé toute la soirée, criant à Satan, à l'attentat, à Satan surtout, c'est cela qui me revient le plus – Cécile avait décroché pour appeler la police et puis non, ma mère s'était calmée, elle finit toujours par se calmer. À se demander si elle ne joue pas un rôle de théâtre.

Je descends lentement l'escalier, m'arrête sur le palier du premier étage.

À droite, l'immuable chambre de mes parents, où, sur la bibliothèque de livres religieux de ma mère, mon portrait en premier communiant trône en haut à gauche, faisant le pendant de celui de Jean-Marc, en haut à droite ; au milieu, la salle de bains ; à gauche, l'ancienne chambre de Jean-Marc dont la porte, toute lisse contrairement aux autres portes de la maison, conserve les traces de sa destruction. Je revois mon père visser un panneau de contreplaqué sur sa structure et le peindre en blanc. Encore à gauche, mon ancienne chambre, toute petite : un lit, une armoire un bureau, une étagère murale.

Je me retourne et regarde l'escalier montant au deuxième étage. Plus raide que celui du premier, la rampe tournant court et vertical. Moi aussi, je l'ai toujours monté en courant, mais pour aller vers elles, mes soleils. Je connais les secrets de toutes les marches et sais aussi les descendre, mais pas frénétiquement comme Jean-Marc, plutôt dans un sentiment de regret de ne pas avoir pu rester là-haut plus longtemps parce que toujours, toujours, ma mère m'appelait pour que je vienne mettre le couvert.

Je descends au rez-de-chaussée, traverse le hall où la petite balle ne rebondit plus, jette un œil à la salle à manger disproportionnée et vais au salon m'installer sur le tabouret du piano, tourne dessus. Je n'en joue pas. Quand Jean-Marc vient parfois le dimanche avec Marie-Bénédicte, la maison revit par la musique : *Les Préludes*, de Debussy, *Take Five*, de Dave Brubeck, en passant par la réduction au piano des *Tableaux d'une exposition* de Moussorgski, il sait tout jouer. Sans compter Bach, Chopin, Beethoven. J'entends cela dans ma tête en tournant sur le tabouret du piano. Bien sûr, il jurait souvent, voulait un résultat immédiat, brûlait les étapes. Nous donnait ainsi des portions de *Sonates*, des ébauches de *Préludes*, des fragments de *Suites*, des tranches de *Toccatas* – rien que de la musique en morceaux, qui faisaient irruption sous ses doigts comme un flot de sons domptés on ne savait comment, montaient jusqu'aux chambres du deuxième étage, jusqu'à l'intervention du juron, de l'accord dissonant vengeur plaqué d'un coup. Plus tard, après la rupture avec sa professeure, le flot s'est transformé en arpèges improvisés, cascades dégoulinantes de notes, douche musicale rejoignant inexorablement le tout-à-l'égout. Ensuite, Jean-Marc est parti et plus personne ne m'a appelé lapin.

« Jeanmajeanpaul, tu peux venir mettre le couvert ? »

Je cesse de tourner sur le tabouret.

« J'arrive », je crie.

« Il y a une lettre de Cécile au courrier, dit ma mère. Pour toi. Par avion », ajoute-t-elle en désignant un papier bleu posé sur une pile de journaux.

Je me jette sur la lettre, l'examine. C'est bien son écriture. Deux timbres avec des têtes d'éléphants et la mention « India » sur le cachet au milieu de caractères imprimés incompréhensibles. Elle est toute légère. En fait de lettre, c'est une fine enveloppe repliée sur elle-même. Je glisse une pointe de fourchette dans la pliure, déchire, déplie et lis avec des yeux avides.

Jean-Paul,

Ce petit mot pour que tu dises à tout le monde que je vais bien. Quinze heures de méditation par jour, le travail à l'Ashram, les journées de ma vie terrestre sont bien remplies dans le chemin en 8 étapes menant à l'abolition de la souffrance : la compréhension droite, l'intention droite, la parole droite, la conduite droite, le mode de vie approprié, l'effort correct, l'attention juste et la méditation correcte. Il est peu d'hommes qui puissent atteindre le samâdhi *et se débarrasser de l'*aham, *de leur ego, qui les abandonne si difficilement, dit Râmakrishna.*

Je t'embrasse bien fort, je pense à vous tous.

Cécile

Je la relis, m'arrête sur chaque mot, chaque expression. Oui, les huit étapes ! Bien sûr, se débarrasser de *l'aham*. Elle m'embrasse. Bien fort.

« Qu'est-ce qu'elle dit ? me demande ma mère.

— Tu peux lire », je réponds en lui tendant la lettre.

Elle la prend, la lit, soupire, hausse les épaules, la repose sur la table, puis s'affaire devant sa cuisinière.

« J'ai fait de la raie aux câpres, dit-elle. Avec des pommes de terre vapeur et du bon beurre. Tu aimes bien ça ?

— Ah oui ! » je réponds, au comble du bonheur.

Je reprends la lettre et m'assois sur le tabouret à couvercle qui contient les cirages et les brosses à chaussures. Je la relis. Moi aussi, j'atteindrai le *Samâdhi*. L'image d'Anne-Marie me revient. Ses dents, son sourire. Sa voix quand elle dit « encore ! encore ! » La revoir. Dans ce film de polygraphique.

4.

Je coince discrètement Michel entre deux cours.

« Dis donc, le film, là… qu'on a vu avec ton frère… tu peux me le passer ?

— Tu as de quoi le voir à la maison ? »

Je fais la moue.

« Non. Mes parents n'ont pas d'appareil.

— Ah ! dit Michel. C'est sûr que ça va empêcher… mais que je suis con, de toute façon, mon frère est reparti avec. Et comme c'est son film préféré, à mon avis, il ne te le prêtera pas. À propos, tu sais que tu as une touche avec Sonia ? »

Il sourit. Sonia au teint de porcelaine, aux cheveux noirs bouffants retombant en frange qu'elle fait bouger en soufflant par-dessous, ses yeux noirs en amande, son visage osseux, son nez fin et droit. Je ne sais pas ce que Michel veut dire par ce mot de « touche » mais je n'ose pas le lui demander.

« Si tu l'invites chez toi, tu peux te la faire sans problème. Je le sais par Nathalie. C'est quand même mieux que la branlette, non ? »

Je soupire. Faire avec elle le truc d'Anne-Marie... c'est trop fort... je n'ai jamais embrassé de fille... je reste silencieux.

« ... elle l'a déjà fait, poursuit Michel. Il paraît qu'elle est super. Si tu l'as jamais fait, faut que tu le fasses avec elle. Une occasion comme ça, ce n'est pas donné tous les jours. Tiens, la voilà.

— Salut, Paul ! » me dit-elle.

Elle est la seule à m'appeler comme ça : Paul. Je ne sais pas pourquoi. Ça me bouleverse à chaque fois, je sens mes mains devenir moites. Elle me dévisage. Elle est naturelle, si naturelle.

« Alors ? Encore au catéchisme, toi, Paul ? »

J'oscille d'une jambe sur l'autre, comme mon père lorsqu'il est mal à l'aise. Je la trouve un peu maigre.

« À mon âge, on dit théologie. Le catéchisme, c'est pour les petits. »

Elle soupire.

« Écoute, on est tous les deux premiers de la classe et toi tu crois à la Vierge, tout ça, tous ces trucs ? Toi, Paul ? Pourquoi ?

— La Vierge Marie ? C'est un mystère ! je réponds en souriant.

— Qu'est-ce que cela veut dire, pour toi, mystère ? »

Je soupire, regarde au loin, hausse les épaules gentiment.

« Ah lala, Paul ! dit-elle. On pourrait aller chez toi un mercredi pour réviser les maths ? Qu'est-ce que tu en penses ?

Je me couvre de sueur. Balbutie oui aux yeux en amande.

5.

Jean-Paul,

Ce petit mot pour répondre à ta longue lettre me faisant part d'une bien affligeante nouvelle concernant la vie terrestre d'Anne-Marie. Tu m'en excuseras, mais les règles de l'Ashram ne permettent d'utiliser qu'une seule enveloppe pour la réponse.

Que te dire, sinon que tous les hommes sont dans les griffes du plaisir, c'est-à-dire bhoktâ, bhogyam, bhoga. Et cela à cause de la fausse notion que les bhogya-vâstu sont réels. Le bhûman seul existe. Il est infini. Mâ Ananda Moyî enseigne que, aussi longtemps que nous nous identifions avec notre corps, notre nature nous pousse à réclamer : Donne-moi, donne-moi !

Un vrai brahmachârin, dit Sivananda, ne fait aucune différence entre le contact d'une pierre, d'un livre ou d'une femme. C'est la marque d'une parfaite chasteté.

Suivant le chemin des plus grands, je m'installe méditer sur la décharge, au plus près de notre nature biolo-

gique de déchet. Mère me l'a conseillé compte tenu de mon avancement. J'y vais pour une période d'un mois. Mère dit que, dans mon cas, les Samskâra *persistent avec beaucoup trop de force. Or, Ramana Maharshi dit que tant que les* samskâra *subsistent, il y aura toujours* sandeha *et* viparîta, *c'est-à-dire doute et confusion. Tu peux en obtenir confirmation auprès de Colette.*

Je te souhaite patience et persévérance sur le chemin du bodhisattva, pour lequel tu me sembles destiné toi aussi.

Cécile

P.S. : Pour le Salut d'Anne-Marie, tu peux prier indifféremment le Christ ou méditer en lotus comme Bouddha. Dis à ta mère de cesser d'envoyer des colis de boîtes de pâté à l'Ashram, nous sommes végétariens.

Je pose la lettre sur mes genoux. Cécile va sur la décharge. À même les ordures. Dans un des livres qu'elle a laissés, j'ai vérifié ce que cela signifiait. Elle va devenir sainte – mais quand même. Je décroche le téléphone et appelle Colette, dont j'ai retrouvé le numéro, griffonné de l'écriture de Cécile, sur l'agenda de la maison.

« Allô, Colette ?

— Non, c'est son mari. »

Je ne savais pas qu'elle s'était mariée, ne me souviens même plus quand je l'ai vue pour la dernière fois.

« Ah… excusez-moi. Elle est là ?

— Qui la demande ?

— Jean-Paul Bergamo.

— Jean-Paul qui ?

— Bergamo. »

La voix s'entend à travers le combiné mal colmaté par une paume impatiente.

« Chérie, tu connais un Jean-Paul Bergamo ? »

Il y a un silence, ensuite la voix cristalline de Colette : « Ah oui, ne t'inquiète pas, je n'en n'ai pas pour longtemps. – Allô ? dit-elle.

— Bonjour Colette, c'est Jean-Paul. J'ai eu des nouvelles de Cécile, et je voulais juste te poser une question…

— Oui, bien sûr. Elle va bien ? Elle est rentrée, maintenant ?

— Rentrée où ?

— Eh bien… à la maison…

— Non… elle est là-bas, à Bhalswa. »

Je n'entends plus personne à l'autre bout du fil.

« Allô ? Tu m'entends ? Allô ? Colette ?

— … je ne pensais pas qu'elle allait rester si longtemps, dit-elle d'un ton peu ennuyé.

— Mais, Colette, elle est *bodhisattva*, quand même ! Elle va sur la décharge, maintenant.

— La décharge ?

— Oui, elle m'écrit qu'elle s'est s'installée au plus près de notre condition biologique de déchet…

— Merde ! » lâche Colette, effarée.

Je sursaute. J'ai dû mal entendre. Je poursuis.

« Donc, elle dit que Maharshi dit que, tant que les *samskâra* subsistent, il y aura toujours *sandeha* et *viparîta*, doute et confusion. »

Encore ce silence de Colette.

« Allô ? Colette, tu m'entends ?

— Oui, oui, je t'entends. Euh… écoute… tu peux répéter ?

— Elle dit que Maharshi dit que, tant que les *samskâra* subsistent, il y aura toujours *sandeha* et *viparîta*, doute et confusion.

— Oui, bien sûr, bien sûr… mais tu sais, je ne fais plus de yoga alors c'est un peu loin…

— Quoi ? tu n'en fais plus ? »

J'entends la voix du mari, non loin du combiné. Chérie, le film commence. Tu avais dit que tu n'en avais pas pour longtemps.

« Écoute, Jean-Paul, elle a sûrement raison. Je ne peux pas t'en dire plus. À bientôt !

— Merci quand même, Colette, à bientôt. »

Je raccroche, un peu décontenancé – mais enfin, elle a dit oui au sujet de *sandeha* et *viparîta* : c'est bien doute et confusion, Cécile a parfaitement raison. Il y a doute et confusion.

6.

Sonia regarde le tapis du salon, qu'elle trouve
bizarre — cette couleur, ces bouloches — et affiche
un petit sourire en coin quand elle réalise que ce
doit être de l'artisanat monastique. Sa tête oscille
légèrement sur son cou blanc liseré d'une petite
chaîne d'or.

« Alors, on y va ? Tu veux bien, Paul ? »

Elle souffle sur sa frange par en dessous, rosit
un peu et finalement m'entraîne par le bras dans
l'escalier. Mon corps est lourd comme du plomb.

« C'est là-haut, ta chambre ? me demande-t-elle.

— Oui, au deuxième, je murmure, l'ancienne
chambre d'une de mes sœurs.

— Tu me fais visiter ? »

Dans la maison, tout est silencieux. Le bois des
marches grince un peu.

« C'est là ? dit-elle sur le palier du deuxième
étage.

— Oui », je chuchote.

Sonia m'embrasse soudain en me plaquant ses mains sur mes joues. Je ne l'avais jamais vue d'aussi près. Elle couvre tout mon champ de vision. Comme ceux des chats, ses yeux luisent derrière leurs fentes en amande. Je sens les deux petits papillons de ses cils palpiter contre mes arcades sourcilières. Sa bouche, si fine, si mince, aspire ma langue et me fait chaud au corps. Je suis fier qu'une fille aussi belle et intelligente s'intéresse à moi. Soudain, ma bouche se détache de la sienne, son visage du mien. Je l'entends me chuchoter à l'oreille :

« Détends-toi, tu es tout rigide…

— Moi ? Pas du tout ! »

Je la vois maintenant éclairée à contre-jour par son soleil de cheveux bouffants. Ses mains graciles ont attrapé les miennes inertes au bout de mes bras ballants.

« Tu as les mains moites ? dit-elle.

— Oui… souvent. »

Elle recule, laissant un peu d'air entre nous. Ses yeux scrutent les miens. J'ai composé un regard amusé, mais commence de ressentir un malaise, une faille est proche de s'ouvrir pour m'engloutir tout entier alors que je suis innocent, oui, c'est le mot qui me vient, innocent de toutes ces choses.

« On va dans ta chambre ? »

Une chair de poule interne m'envahit. Pour faire quoi ? Ce que fait Anne-Marie ? La tête me tourne.

« Tu ne te sens pas bien, Paul ? Pourquoi ? »

Pourquoi toutes ces questions ! Pourquoi la Vierge, pourquoi les mains moites, pourquoi, pourquoi c'est tout ce qu'elle sait dire ! Parler, ne pas rester comme ça, sur le palier, ses mains dans les miennes, c'est absurde !

« Si, si ! Je me sens parfaitement bien ! »

Elle répète doucement :

« Alors on va dans ta chambre ? Je te ferai des trucs... tu me feras des trucs... »

Dire quelque chose pour s'extirper de cette horreur sans nom. Je me souviens qu'un vrai *brahmachârin* ne fait aucune différence entre le contact d'une pierre, d'un livre ou d'une femme. C'est la marque d'une parfaite chasteté. Je ne vais pas lui parler de *brahmachârin*, elle va me prendre pour un fou. La maladie ! Une maladie de peau horrible ! Voilà, la porte de sortie. Je me compose un masque de souffrance et dégage mes mains des siennes.

« Ça ne va pas ? On dirait que ça ne va pas...

— C'est-à-dire que...

— C'est la première fois, c'est ça ? Ce n'est pas grave, c'est merveilleux, n'aie pas peur... on peut seulement se caresser si tu veux. Tu peux te branler comme tu le fais d'habitude… »

Comment sait-elle ? Sous moi, la faille se précise. Urgence à dire que je suis malade. Je soupire avec lassitude, gravité et préoccupation, les trois caractéristiques de celui qui est au-dessus de ça.

« Mais non… je… je suis…

— Tu sors déjà avec une fille ? »

Elle le dit ! Elle m'en pense capable ! Quelle aubaine ! C'est mieux que la maladie ! C'est invérifiable et puis… c'est une fille qui habite loin.

« …voilà… c'est ça…

— Qui ça ?

— Je ne peux pas te dire. »

Je me sens revivre. Je regarde le parquet, là, par terre. J'ai remarqué que l'on ment mieux en regardant le parquet que le plafond.

« Je la connais, alors ?

— Mais non… elle habite loin… là où je vais tout le temps en vacances. Je ne veux pas lui faire de tort.

— Du tort ? Pourquoi ?

— Parce que… je suis fidèle, c'est tout ! »

Je suis crédible, c'est certain. Mon visage tourmenté n'en témoigne-t-il pas ? Elle reste silencieuse. Je respire profondément. Je suis sauvé. Elle aussi regarde par terre maintenant, comme si la vérité se trouvait coincée entre les lames du parquet du palier, au lieu d'une impossible jointure.

« Alors pourquoi as-tu accepté que je vienne chez toi aujourd'hui ? Tu savais bien que l'on serait tout seuls ! »

Je n'ai pas prévu qu'elle revienne à la charge avec un autre pourquoi. Je me sens démuni, accusé d'un crime affreux que je n'ai pas commis, moi, innocent de tout cela ! J'entends sortir de ma bouche une voix rapide et tremblante, presque suppliante d'urgence, qui articule : « Mais moi, je ne veux rien ! C'est toi qui voulais travailler avec moi sur les équations du deuxième degré ! Moi, je ne veux rien ! »

Elle relève la tête. Elle a entendu quelque chose. Maintenant, son regard d'amande perce mes pupilles. Je tente de le soutenir, mais préfère retourner vers les lames du parquet.

« Ah. Tu ne veux rien, dit-elle d'une voix monocorde, comme pour sonder la profondeur d'un puits en y lançant un petit caillou.

— Mais non, rien, rien du tout, je bafouille immédiatement, je ne veux rien du tout ! Tu sais, tu vas y aller, maintenant, c'est absurde tout ça ! »

À la fois triste et amusée, elle me regarde descendre précipitamment les deux étages. Elle me suit lentement. Le puits est-il si profond que cela ? L'écho de sa parole a été si rapide ! Le puits est peut-être obstrué par quelque chose de lisse, d'élastique, une sorte de membrane qui renvoie immédiatement un son trompeur ? Auquel cas, qu'est-ce que cette surface et qu'y a-t-il derrière ? Elle est soudain effrayée à la pensée qu'il n'y a peut-être rien. Que « Jean-Paul Bergamo » ne serait constitué que d'une simple surface.

Avant de fermer la porte sur elle sans la regarder, je crie d'une voix soulagée, presque reconnaissante :

« À demain !

— C'est ça, à demain répond-elle à mi-voix. »

Sur le chemin du retour, elle apprécie cette parole à sa juste mesure. Le voilà, le vrai écho : une voix soulagée qui répond « À demain ! » à la question de son désir. Son désir, ou son simulacre de désir ? Pourquoi dit-il qu'il ne veut rien ? Pourquoi lui faire croire qu'il est avec une fille ? Mais quel bon comédien ! Il faut le toucher, sentir son corps, ses réactions, sa rigidité, sa peur, oui, sa peur pour le connaître vraiment – mais pourquoi ?

Je remonte dans ma chambre. Je me sens mieux. Je reprends la dernière lettre de Cécile, retrouve la phrase qui m'intéresse, saisis un feutre et l'inscris sur la porte du placard : « Un vrai *brahmachârin* ne fait aucune différence entre le contact d'une pierre, d'un livre ou d'une femme. C'est la marque d'une parfaite chasteté. Sivananda. » Ensuite, je me mets en pyjama et m'assois en lotus quelques instants – pas trop longtemps, mes genoux et mes chevilles ne le supportent pas – récite quelques mantras, puis entame la lecture de *Méditation et Action*, d'un sage tibétain. Je n'ose pas sortir le crâne du placard. Il est derrière une pile de livres. Un quart d'heure plus tard, je murmure « c'est bon Sonia, c'est bon, salope » en me frottant la queue dans mon pyjama. C'est meilleur sans le contact direct de la main. Je le mettrai au sale, comme d'habitude. C'est mieux comme ça.

7.

Dans le silence de la maison, j'ouvre le dernier tiroir du meuble du salon, celui qui abrite les photos dans leurs pochettes de carton. Je les connaîs bien, les regarde souvent. Sur certaines, en noir et blanc, je m'arrête régulièrement.

Celle de Mamie par exemple, qui prenait ses bains habillée. Dans un manteau informe, coiffée d'un chapeau d'avant-guerre, sur le parvis d'une église, elle ne sourit pas, ne donne pas envie d'être connue. Le noir et blanc accentue l'impression de vieillesse, d'ancienneté. Cette autre, très belle : mon père, Anne-Marie et Cécile marchent sur un chemin de montagne. Elles ont entre six et dix ans. Ils ont l'air contents. Jean-Marc est sans doute avec ma mère au chalet. Suivent d'autres photos qui ne m'intéressent pas, vieilles cousines de ma mère, paysages informes, vieux amis de ses parents. En les triant, mes doigts sentent une double épais-

seur – une photo collée sous une autre. Je la
détache avec soin, essaie de ne pas l'abîmer, voilà,
elle vient, je la découvre, écarquille les yeux. Elle
n'a rien à voir avec les précédentes, a dû échapper
à son étui en carton. Prise sur une plage, en noir
et blanc aussi. Je suis frappé par la beauté des
femmes en maillot de bain qui, les pieds dans
l'eau, se disputent un bébé braillard. Une brune
aux yeux sombres, certainement la mère, et une
jeune fille blonde aux yeux clairs. Elles tiennent
chacune le bébé par un bras. Je retourne rapidement la photo – « 1976 » imprimé derrière – la
regarde de nouveau. Le bébé a de grandes oreilles.
C'est moi. Je reconnais soudain ma mère et Cécile.
Elle a treize ans. Une très jeune Ingrid Bergman,
oui. Ses yeux de ciel, ses cheveux de paille, rayon-
nent dans le niveau de gris du tirage brillant. Ma
mère, Sophia Loren. Cheveux noirs et peau mate
irradient sur la plage dans un maillot noir une
pièce. Elles sourient, carnassières. Le bébé grimace,
n'a pas l'air content du tout de cet entre-deux
mères. Je tente de percer son regard, l'observe du
plus près possible. Il a l'air de chercher quelqu'un.
Anne-Marie ? Il a déjà choisi Anne-Marie. En
1976, elle a quinze ans. Elle doit être en colonie
de vacances ou en stage d'anglais à l'étranger. En
attendant, les deux autres se le disputent, et la
blonde a l'air de gagner sur la brune. Elle est plus

jeune, plus musclée, et surtout elle a le temps. Elle sait qu'elle aura ce bébé un jour. Troublé, je range la photo dans une de mes poches. Elle me procure immédiatement un sentiment de sécurité – comme un document d'identité à sortir lors d'un prochain contrôle de police. Je marche à pas rapides vers la cuisine. Je vais la montrer à ma mère.

« Ça, c'est à Morgat, quand tu a failli te noyer, me dit-elle.

— J'ai failli me noyer ?

— Tu es parti tout seul vers la mer et tu as disparu dans une vague. Il y a des rouleaux, là-bas, c'est très dangereux. Ton père t'a récupéré par un pied.

— Et Anne-Marie, où était-elle ?

— Elle devait être en vacances ailleurs, je ne sais pas, moi.

— Je me suis noyé avant ou après la photo ? » Ma mère hausse les épaules.

« Je ne me souviens pas. Quelle importance ?

— Mais… je marchais ? »

— Oui, tu as marché à dix mois, comme Jean-Marc. Non, toi tu as marché à onze mois. En juillet 76, tu marchais. »

Le petit dernier

Couché sur mon lit, j'observe de nouveau la photo, m'en imprègne, pressens qu'elle recèle une vérité. Ce jour-là, j'ai voulu me noyer – enfin, est-ce qu'un bébé d'un an veut se noyer ? Non, il marche automatiquement vers la mer et y pénètre, inconscient du danger. Comment cela s'est-il passé ? D'abord il se noie, ensuite ils font la photo ? Non, elles ne seraient pas retournées dans l'eau avec le bébé venant tout juste d'échapper à la noyade, dans ces cas-là, on remballe le bébé dans une serviette et on quitte la plage. Non, ils font la photo dans l'eau, ensuite ils remontent sur le sable, et là, le bébé échappe à la surveillance et retourne tout seul dans l'eau. Pourquoi ? Je relève la tête, cherche une réponse dans les caissons en plastique doublés de polystyrène du plafond. Mais oui ! le bébé cherche Anne-Marie. Mais pourquoi la chercher dans l'eau de mer ? À moins que cela ne soit pas le même jour. Peut-être s'est-il noyé un autre jour que celui de la photo. Mais pourquoi sont-ils allés sur une plage si dangereuse avec un bébé ? Je regarde de plus près les visages de ma mère et de Cécile. Elles sont très belles – de vrais aimants. Je range la photo dans le tiroir de ma table de nuit, à côté de la toute dernière lettre de Cécile. Je la relis, un peu désemparé.

Le petit dernier

Jean-Paul,
Je ne recevrai plus de courrier à l'Ashram.
Je m'installe définitivement méditer sur la décharge. Mère m'a conseillé cela après avoir constaté combien mon mois d'essai m'avait été profitable. Je chemine vers la Joie. Que signifie accomplir une véritable pûjâ *? Se donner complètement à l'objet de son adoration. Lorsque ce don de soi devient total, Dieu se révèle ! dit Mâ Ananda Moyî.*

Je poursuis dorénavant ma vie terrestre sous le nom de
Ajaramara

Qui veut dire sans âge et immortel

P.S : Dis à ta mère de ne pas envoyer non plus de colis de boîtes de conserve de poisson, nous ne mangeons que des œufs et des légumes. Pour répondre à tes nombreuses lettres en une fois, n'oublie pas que vîrya, *une des six perfections du* bodhisattva, *est selon Sivananda atteinte uniquement grâce à la chasteté.*

8.

Pour une fois, je flâne un peu après le cours de maths, retourne à la maison par un chemin plus long. J'ai bien remarqué que, depuis qu'elle est venue à la maison, Sonia m'évite. Je la regarde souvent, mais elle détourne la tête. On dirait que je l'énerve. Elle ne vient plus vers moi, ne me parle plus. Mais c'est trop tard ! Sonia m'a embrassé, Sonia est à moi, maintenant et malgré tout. Cécile – Ajaramara – l'approuverait certainement. La chasteté. Heureusement que Sonia existe. J'excuse ses questions parce qu'elle est belle. Elle reviendra.

Je reconnais la voiture sur le trottoir. Celle du frère de Michel. Marc est certainement dedans à attendre quelqu'un, je vais lui dire bonjour, peut-être lui demander pour le film, s'il peut me le prêter avec un appareil. Je m'approche de la voiture. Elle est en plein soleil, un long rectangle argenté sous les essuie-glaces masque les places avant. Les fenêtres aux vitres teintées sont fermées, mais le toit ouvrant est ouvert. J'y avance la tête pour lui dire bonjour, regarde – personne à l'avant – et à l'arrière ? c'est trop tard – quelle horreur, je m'enfuis en courant. Elle m'a vu. Sonia à quatre pattes comme Anne-Marie, et Marc derrière elle. Elle m'a vu les voir. Mais pas lui, pas Marc. Trop occupé.

Je cours à petites foulées sans me retourner. Peut-être que ce n'était pas elle ? Peut-être que ce n'était pas la voiture de Marc ? Elle lui ressemblait beaucoup pourtant. Alors c'est peut-être une... une putain. Comme Anne-Marie. Non, ce n'est pas possible. Ce n'est pas elle. Elle râlait comme si elle avait mal. Ça doit faire mal. Évidemment, ça fait mal.

J'arrive à la maison, monte dans ma chambre, regarde la photo, lis Sivananda sur la porte du placard : Un vrai *brahmachârin* ne fait aucune différence entre le contact d'une pierre, d'un livre ou d'une femme, c'est la marque d'une parfaite chasteté, puis m'allonge par terre et commence un exercice de respiration, comme Cécile me montrait quand elle était là. Expirer pour évacuer les pensées perturbantes. Expirer. Inspirer, puis expirer. Expirer jusqu'en haut du ventre, pas de la poitrine, mais du ventre. Chasser. Chasser les pensées. Le refaire. Encore. Le refaire. Je m'apaise. J'accepte que ce soit Sonia. Ce n'est pas grave. Je tacherai mon pyjama en pensant à elle comme ça ce soir. Ses yeux dans le vague. Ses soupirs.

Ça ne va pas. J'expire de nouveau, inspire et expire longtemps, jusqu'au dernier petit souffle, comme la mort. Tiens, je pense au châle blanc. Le châle de Mamie, dans la chambre d'à côté. C'est un signe. Je me lève et pénètre dans l'ancienne chambre d'Anne-Marie. Je ne fais pas attention à l'odeur. Un *brahma-chârin* est au-dessus des odeurs, Cécile-Ajaramara est au-dessus des odeurs en ce moment. Elle respire, mais ne sent plus. Elle ne respire que l'air, pas les senteurs. Le châle est toujours sur le lit. Je m'en empare, m'enveloppe dedans et récite un mantra. Le châle de Mamie dans l'accident.

*

Je sais qu'il est là parce que le piano est revenu. Une *Valse* de Chopin. À sa façon de jouer, Jean-Marc a l'air en forme. Je descends lui dire bonjour. La *Valse* s'arrête avant la fin, comme d'habitude.

« Ça va, lapin ? Toujours fort en maths ? »

Lapin. Cela faisait longtemps. Lui et Marie-Bénédicte ont débarqué en trombe avec une bonne nouvelle et un sac de linge sale. Il a été reçu dans l'école qui prépare l'ENA.

« C'est comme d'arriver au refuge avant la course, tu comprends, lapin ? C'est ça, être à la hauteur. »

Oui, je comprends. Je suis fier et content pour lui. C'est un peu comme si je faisais l'ENA moi aussi. Je sors la balle rebondissante du tiroir du prie-Dieu, la lui montre. Jean-Marc acquiesce. Nous nous renfermons dans le hall pour jouer une partie en cinq. La balle bondit, je marque le premier.

« Vous n'avez pas fini de faire les gamins ? » dit Marie-Bénédicte en confisquant la balle.

Je baisse la tête, n'arrive pas à répondre, ne sais pas quoi répondre. Jean-Marc retourne au piano, joue de mémoire le premier prélude du *Clavecin bien tempéré*, enchaîne avant la fin sur ses arpèges dégoulinants, puis ferme le piano, monte en courant dans son ancienne chambre, y reste un instant et redescend en trombe avec l'outil de musculation des doigts.

« Je savais bien qu'il était là ! Je vais en avoir besoin, il y a une épreuve de grimper à la corde. »

Ma mère lui demande de sonner la cloche. Cela faisait longtemps que la maison n'avait pas résonné de son tintement grave. Elle a mis les petits plats dans les grands. Elle annonce le menu : des œufs en gelée, de la choucroute, plateau de fromage et œufs à la neige maison. Elle a assis Marie-Bénédicte à l'ancienne place de Cécile, à gauche de mon père.

« Alors il faut qu'on vous dise, dit Jean-Marc.

— Oui... dit Marie-Bénédicte. Nous allons nous marier. »

Ma mère rougit, mon père oscille sur sa chaise.

« On fera la fête chez les parents de Marie-Bénédicte, ils ont un grand domaine, dit Jean-Marc.

— Où donc ? demande mon père.

— À Chambéry, répond Marie-Bénédicte. Vous verrez, c'est merveilleux. »

Les œufs en gelée ont déjà disparu dans les estomacs. J'aide ma mère à apporter la choucroute.

Ente deux mastications de saucisse de Francfort, mon père demande à Marie-Bénédicte quelle est la nature de son travail. Elle explique les calculs de résistance des carlingues, des ailes, des hélices. Il bouge la tête en signe de compréhension profonde.

« Et... sur le plan fiscal, comment ça se passe ? »

Elle ne comprend pas ce qu'il veut dire, dit qu'elle ne sait pas, sans réaliser qu'elle a signé sa perte dans la conversation. Alors il évoque la fiscalité des pièces détachées d'aviation, la taxe parafiscale sur les aéroports de tourisme, pour finalement glisser sur la fiscalité en général et lui en particulier. Sans se vanter, il est actuellement le meilleur fiscaliste du ministère. Si elle a un quelconque problème en la matière, elle peut l'appeler quand elle veut, il se fera un plaisir de lui expliquer comment ça se passe. Il ne sera pas dit qu'un ENA ne puisse pas aider un X dans le besoin.

Le petit dernier

Pendant le fromage, je revois Anne-Marie et Cécile à table. Qu'auraient-elles pensé de Marie-Bénédicte ? Ma mère est transportée. Jean-Marc à déjeuner ! Bien sûr, il va se marier, mais il restera son Jean-Marc ! Elle le regarde manger, parler. Le rescapé de l'accident. Elle me fait signe de débarrasser, puis apporte elle-même les œufs à la neige. On s'exclame. La crème anglaise est divine. On en boirait des bols remplis à ras bord.

« ... je te dis ça parce que la fiscalité est à la base de tout. En vérité, tout tourne autour. Penses-y, affirme mon père.

— Bah ! fait ma mère. Arrête de l'embêter avec ça !

— Mais c'est la vérité, dit mon père. Enfin, Jean-Marc, c'est la vérité, non ?

Jean-Marc regarde sa mère dans les yeux.

— Maman, c'est effectivement très très important, la fiscalité », affirme-t-il d'une voix mâle et posée.

Ma mère a gagné. Elle voulait seulement que Jean-Marc s'adresse à elle et que mon père arrête de parler de lui. C'est elle qui a fait Jean-Marc. Avec Dieu.

Pendant que Marie-Bénédicte aide ma mère à la vaisselle, mon père et Jean-Marc fument leurs cigares au salon, un digestif posé sur la table basse. Je les écoute en me bouchant le nez. Ça a l'air difficile de préparer l'ENA. Mon père dit qu'il faut soigner la langue administrative. Par exemple, employer « toutefois » et non « par contre ». Se montrer prudent, utiliser le conditionnel. Après les liqueurs, Jean-Marc se remet au piano, mais avec une partition. J'attends le juron et l'accord plaqué dissonant – il survient plus tôt que prévu, signe que mon frère est en train de perdre ses acquis. Ensuite, il file à la cave, fouille dans des caisses, jure, puis renonce.

Ils repartent vers six heures, après le thé.

« Allez, salut, fils ! » me lâche Jean-Marc en me tapant sur l'épaule, un sac de linge propre et repassé à la main.

Je monte dans ma chambre et par la fenêtre les regarde, enlacés, descendre le chemin de gravier vers la rue. Jean-Marc va se marier. Jean-Marc va vers les hauteurs. Toujours plus haut. Ça m'a gêné qu'il m'appelle « fils ». Est-ce qu'on peut être le fils de son frère ?

Le soir, je remets le châle de Mamie dans l'accident et récite des mantras. Ensuite, Sonia revient avec Anne-Marie. À même les draps.

9.

« Marc, tu ne vas pas conduire, tu n'as pas vu comme tu es bourré ! dit Michel. Je t'ai demandé si tu pouvais venir nous chercher, mais pas bourré !

— Il est bourré ? je demande.

— Tu n'as pas vu comme mon frère est bourré ? Marc, tu n'es pas en état de conduire. On n'a qu'à laisser la bagnole là et prendre le métro. Ou alors on attend.

— Je ne suis pas bourré, frérot ! Je tiens très bien l'alcool.

— De toute façon on n'a pas beaucoup de route à faire, je remarque.

— Peut-être, mais c'est la nuit, dit Michel.

— C'est la nuit... il ne faut pas exagérer ! j'ajoute. Disons qu'il fait nuit. C'est l'hiver, il n'est que vingt heures trente et il y a quand même des lampadaires.

— Tu vois, ton pote, là… comment il s'appelle déjà ? demande Marc à son frère.

— Jean-Paul, je dis.

— Voilà, eh bien Jean-Paul, il n'a pas peur ! toi, frérot, t'es qu'une tapette ! Tu n'es pas au niveau ! »

Et Marc part dans un ricanement qui me rappelle confusément les attitudes de Jean-Marc. Il est incroyable, ce Marc ! Dire qu'il nous a fait se branler devant Anne-Marie… Me trouver d'accord avec lui sur l'appréciation de la situation me donne l'impression d'être un adulte. « Au niveau », il a dit. À la hauteur de Marc, vingt ans et le permis de conduire, bien au-dessus de Michel qui pourtant en a quinze comme moi. Oui, comme Jean-Marc, à la hauteur ! Quand Marc a débarqué avec la voiture dans laquelle je l'ai vu avec Sonia, j'ai eu peur. Finalement, Sonia n'a rien dû lui dire, car Marc ne m'a pas parlé d'elle. Dans la position où il était, il n'a rien vu.

« Michel, je reprends d'une voix dopée par l'altitude, de toute façon, il y a plein de gens bourrés qui conduisent, on n'y peut rien ! Je vais me mettre à l'avant. Je surveillerai ce que fait ton frère. Qu'est-ce que tu crains ? Les accidents de voiture, on en réchappe, non ? »

Michel se renfrogne, murmure qu'il n'est pas une tapette, hausse les épaules.

« Tu sais, j'ajoute, un accident, on en a eu un
dans ma famille, eh bien mon frère en a réchappé.
Tu vois mon frère Jean-Marc ? Eh bien il fait
l'ENA, maintenant !

— Si Jean-Paul pense que ça peut aller, dit
Michel, ça va. En général il est prudent. C'est vrai
qu'il n'y a qu'une demi-heure de voiture. »

À peine démarré, Marc s'arrête à un feu rouge.

« Tu vois, frérot ! Je ne suis pas daltonien »,
lance-t-il à Michel, qui derrière lui hausse les
épaules encore.

Marc démarre doucement.

« Regarde, Michel, je conduis normalement,
prudemment !

— Eh oui ! » je dis en me revoyant soudain
dans le châle de Mamie, plein de trous, et me
retrouve assis sur le bitume – oublié, le vacarme
de l'écrasement instantané du métal.

Devant moi, sur la voiture de Marc, la
remorque d'un énorme camion. La portière droite
est grande ouverte. Je viens de là, mais ne le sais
plus. Spectateur d'un théâtre lent, je regarde aller
et venir des pompiers, des policiers. De l'agitation.
Je n'entends rien. Il y a ça, devant. Ça bouge. Ça
paraît loin, mais c'est tout près. Il n'y a rien dans
ma tête. Les pompiers font des étincelles avec un
gros disque sur la carrosserie. Une grue arrive sur
de grosses roues. Les pompiers entourent la

remorque avec des câbles. La grue tire. La remorque bouge, monte vers les étoiles, la moitié gauche de la voiture est toute plate. C'est presque rigolo. Je cligne des yeux. On touche une de mes épaules, je tourne la tête, une bouche s'agite dans un visage avec une casquette. On me prend par un bras, on me lève, je suis le mouvement de mes jambes. Le camion de pompiers est très rouge. La lumière bleue tourne vite sur la nuit noire et jaune. Je souris, j'ouvre grand la bouche, montre du doigt le bleu qui tourne, pin-pon, pin-pon, mais c'est muet. Dans le camion. Les pompiers. Les bouches s'agitent devant moi, ça gesticule. J'ouvre la bouche – c'est muet. L'aiguille sur mon bras, le piston pousse le liquide dans la seringue.

« Vous ne pouvez pas le voir pour le moment. C'est préférable.

— Il est blessé ? demande mon père.

— Non, répond le médecin. On lui a fait tous les examens. Il n'a rien de cassé, et n'a pas été touché au crâne. Mais il est en état de choc. Certainement à cause du bruit. Il a entendu le bruit. Il a été dedans, ça l'a saisi – mais il n'a rien aux tympans. C'est le cerveau. C'est difficile à décrire. C'est un choc par le bruit.

— Mais enfin, il parle ? Il dit quelque chose ? »
demande ma mère.

Le médecin hésite.

« Il dit quoi ?

— Non, dit le médecin, il ne dit rien. Il a
perdu la voix. Il a juste demandé par gestes du
papier et un stylo.

— Ah, répond-elle. Et que fait-il avec ? »

Le médecin regarde par terre, hésite encore.

« Des saletés ? » demande ma mère.

« Mais non, Madame. Il fait des dessins...
comme un enfant de trois ans. Mais ça a l'air de
lui faire du bien... ça peut arriver, après un tel
choc. Il dessine des bonshommes, des maisons. Les
neurones se...

— Mais enfin c'est insensé ! coupe ma mère.
Rendez-nous Jean-Marc ! Il faut l'interner ! Dis
quelque chose, Robert ! »

Mon père hausse les épaules.

« Qu'est-ce qu'on y peut, Marie-Thérèse ? Il
dessine, il dessine !

— Il s'appelle Jean-Marc ? demande le médecin. Sur ses papiers, c'est Jean-Paul...

— Oui, c'est ça, c'est Jean-Paul », dit mon
père.

« Écoutez. Estimez-vous heureux, tranche le
médecin d'un ton excédé. Le vôtre est vivant. Il
va se remettre, il n'y a pas de lésion décelable.

Le petit dernier

C'est un miracle. Revenez dans trois jours. Les deux autres jeunes, ses copains, on ne peut pas présenter les corps à la famille... »

Le médecin vacille soudain, sa mâchoire tremble.

« ... c'est impossible de voir ça et de rester vivant », rajoute-t-il avant de tourner les talons.

10.

J'ouvre les yeux. Il fait soleil. Je ne sais pas depuis combien de temps je suis à l'hôpital. Une gentille infirmière m'a fourni du papier et des stylos. Comme tous les matins, j'ouvre le tiroir de ma table de nuit, saisis la photo. C'est la seule chose que j'ai demandé, par écrit, qu'on m'amène. Tous les matins, je la regarde de loin, à bout de bras. Je ne sais pas pour- quoi. Depuis l'accident, je vis dans une sorte de recul par rapport à ce que je vois, ce que j'entends. Ce n'est pas douloureux. Le monde est seulement à distance.

Et voilà, ça saute aux yeux, aujourd'hui. Com- ment un détail, si l'on peut parler ainsi d'une chose pareille, a-t-il pu m'échapper ? Une quatrième per- sonne figure sur la photo. En haut à droite, au des- sus de l'eau, un buste de femme tend les bras – vers un enfant, sans doute, qui doit nager vers elle. La tête de la femme est hors champ. Typique des photos de vacances, de plage surtout, où des bouts de corps inconnus s'invitent dans l'album de famille à l'occasion de clichés pris sur le vif. Une troisième femme s'invite donc dans le cadre familial. Derrière moi, elle tend les bras pour accueillir. Tout le contraire du premier plan où le bébé est disputé, comme dans l'épisode biblique du roi Salomon, potentiellement déchiré entre l'une qui tire et retient et l'autre qui retient et tire. Le photographe, bien loin de trancher le litige, prend la photo d'une scène dont il ne perçoit pas l'enjeu – mais peut-être a-t-il vu cette femme ? Peut-être est-elle le vrai sujet de la photo ? Non, cela ne ressemble pas à mon père. Il n'a pas vu, c'est tout. Doublement pas vu.

On toque à la porte, je range la photo, veux dire « entrez », mais cela ne descend pas dans ma bouche. Cela ne me dérange pas.

La porte s'ouvre. Sonia entre avec des fleurs, des œillets. Elle voit tout de suite que j'ai changé. La membrane qu'elle avait perçue n'est plus là. Je le sais. Je sais qu'elle l'avait vue. Je la regarde sans parler. Elle voit que je suis devenu profond comme un puits ancien. Elle sait.

« Bonjour Paul.

— Sonia ».

Elle ne reconnaît pas ma voix. Moi non plus.

« Tu parles, Paul ? On m'a dit que tu ne parlais plus.

— Jusqu'à toi, je ne parlais plus. Tu sais pour Marc et Michel ? »

323

Elle baisse les yeux.

Nous restons silencieux.

J'aime tellement qu'elle m'appelle Paul. J'ai l'impression d'être quelqu'un sous ce prénom. Sur la table de ma chambre, à gauche une pile de feuilles griffonnées, raturées, à droite une pile blanche. Au milieu, une feuille noircie.

« Qu'est-ce que c'est ? demande-t-elle.

— Depuis, je passe mon temps à écrire. J'ai l'impression de me reconstituer. J'ai commencé par dessiner, maintenant j'écris.

— Tu écris quoi ?

— Tu peux regarder. C'est pour toi. »

Elle s'avance vers la table et prend la feuille du milieu.

Il fait chaud. Il décide de flâner un peu après le cours de maths, retourne à la maison par un chemin plus long. Il a bien remarqué que, depuis qu'elle est venue à la maison, Sonia l'évite. Il la regarde souvent, mais elle détourne la tête. On dirait qu'il l'énerve. Elle ne vient plus vers lui, ne lui parle plus. Mais c'est trop tard ! Sonia l'a embrassé, Sonia est à lui, maintenant et malgré tout. Heureusement qu'elle existe. Elle reviendra poser une question à Paul.

Il reconnaît la voiture sur le trottoir. C'est celle de Marc, le frère de Michel. Il est certainement dedans à attendre quelqu'un, il va lui dire bonjour. Il

s'approche. Elle est garée en plein soleil, un long rec-
tangle argenté sous les essuie-glaces masque les sièges
avant. Les fenêtres aux vitres teintées sont fermées,
mais le toit ouvrant est ouvert. Il y avance la tête,
regarde – personne à l'avant – et à l'arrière ? c'est trop
tard – quelle horreur, il s'enfuit en courant. Elle l'a
vu. Sonia à quatre pattes et Marc derrière elle. Elle
l'a vu les voir. Mais pas lui, pas Marc. Trop occupé.
Il court à petites foulées sans se retourner. Peut-être
n'était-ce pas elle ? Elle lui ressemblait beaucoup pour-
tant. Elle râlait comme si elle avait mal. Il arrive à
la maison, monte dans sa chambre, s'allonge par terre
et commence un exercice de respiration. Expirer pour
évacuer les pensées perturbantes. Expirer. Inspirer, puis
expirer. Expirer jusqu'en haut du ventre, pas de la
poitrine, mais du ventre. Chasser. Chasser les pensées.
Il s'apaise. Il accepte que ce soit Sonia. Ce n'est pas
grave. Il tachera son pyjama en pensant à elle ce soir.

Elle rougit, sourit aussi.

La porte s'ouvre, une infirmière entre pour me
prendre la tension.

« Comment ça va aujourd'hui, monsieur Bergamo ?

— Ça va bien, je vous remercie.

— Mais… vous parlez ! On ne va pas vous garder si vous parlez ! Je vais prévenir le professeur.
Il va être content. »

11.

« Pour en revenir à ce qu'a dit le nouveau curé dans son sermon – comment s'appelle-t-il, déjà ?

— Le père Molino, Robert, dit ma mère.

— Molino ? ça me dit quelque chose », constate mon père.

Ma mère serre les dents.

« Voyons, Molino… ce n'est pas avec un Molino ou Molini qu'est Anne-Marie ?

— Molinari, lâche-t-elle. »

Elle se lève et va chercher le pot-au-feu à la cuisine.

« Voilà ! Je me disais bien que j'avais entendu ce nom. Eh bien, ce père Molinari.

— Molino, Robert, rectifie-t-elle en apportant l'autocuiseur ouvert et fumant.

— … voilà, je vais y arriver, ce qu'a dit le père Molino sur Ponce-Pilate était très bien ! On ne doit pas en vouloir à Ponce-Pilate.

— Mais enfin, Robert ! Ponce-Pilate !

— Ponce-Pilate était un excellent fonction-naire ! Il a demandé aux populations locales de trancher elles-mêmes le problème et s'en est lavé les mains. Il a eu parfaitement raison.

— Trancher le problème ! Tu n'as pas le droit de dire une chose pareille en parlant du Christ-Roi ! dit ma mère.

— Mais ! s'exclame mon père, c'est la vérité ! Hein ? Qu'est ce que tu en penses, Jean-Paul ?

— C'est sûr, c'est la vérité, approuvé-je en res-sentant un malaise, Ponce-Pilate n'y connaissait rien, mais maman n'a pas tort non plus.

— Tiens, tu vois, il dit que j'ai raison. Même si depuis l'accident, il est bizarre, il dit que j'ai raison. Les médecins ont bien fait de nous le rendre.

— Avance ton assiette, c'est du bon gros pot-au-feu. »

Je me demande soudain si la dure paroi trans-parente apparue entre mon père et moi après mon contrôle par les policiers, aux Halles, n'existait pas depuis toujours.

« Avance ton assiette », répète ma mère.

J'avance mon assiette. La peau de Sonia est douce. C'est tellement bon, avec elle.

« Le ministre a été content de mon dernier rapport. Maintenant, il en veut un sur la fiscalité dans les territoires d'Outre-Mer. Il faudra que j'y aille.

— C'est très bien, Robert », dit ma mère.

*

Mon père m'arrête à la station de métro Halles en imperméable de la Gestapo parafiscale. À ses côtés, deux de ses collègues munis de crochets multifiscaux. Il observe mon nez, mon teint, mes cheveux, puis ma carte mensuelle de transport souterrain. Cécile, en demoiselle SS, prend les mesures du nez, et lâche un chiffre en allemand. « Ni sandeha, ni viparîta, ni doute, ni confusion, constate mon père. Autant avec la mère, en 1942, on avait un doute, mais là, en 1989, il n'y a pas de doute : Bergamo, tu es très juif, juif, juif. Ton nez ne descend pas de celui de Louis XVI. Tu nous suis. Comme Ponce-Pilate, nous allons trancher le problème, mais avec des moyens modernes : les insecticides du magasin familial de pièges à rats et nuisibles de la place Sainte-Opportune. Ça t'apprendra. » Cécile, toujours en demoiselle SS, mais cette fois-ci coiffée d'un casque de soldat romain, me fouette pour me faire rapidement remonter à la surface. Les voyageurs du métro me crachent dessus. Je chute dans les escaliers, elle me fouette encore pour que je me relève. Les escaliers – deux étages à monter avec un rampe en bois – sont un calvaire, un vrai couloir Couturier. À intervalles réguliers, des chutes de tasses à thé, de scones, de muffins, de livres de développement personnel, entravent ma montée, la rendent périlleuse. Enfin, je parviens dans la rue. On m'affuble d'une couronne de spaghettis crus, piquants. On me dénude, on me perce au côté au moyen d'un piolet à glace. De la plaie coule de la sauce tomate. La foule crie, dit qu'elle veut des alteaf au sang. Le magasin est maintenant devant moi, gardé par un cordon de SS parafiscaux. Mon père, en Ponce-Pilate, annonce à la foule qu'on va gazer le Blasphémateur avec du pschitt à cafards, et qu'ensuite on le suspendra tout nu dans la vitrine à un croc de boucher, puis se reprend : Non, c'est l'inverse, le règlement exige que ce soit plus douloureux : d'abord le croc de boucher, ensuite le pschitt à cafards diffusé dans le masque à oxygène des alpinistes himalayens. On m'installe dans la vitrine. Le croc fait mal, mais il faut bien souffrir pour être Dieu. On accroche un panneau au-dessus de ma tête. Il porte l'inscription JRI, soit Jeanmajeanpaul Rex Iudoerum. Puis on m'applique le masque. Devant la vitrine, Anne-Marie est à genoux et pleure, mais un homme s'affaire derrière elle, la tient par les hanches.

Je note en dessous : Rêve transcrit à 3 h 30 du matin. L'envoyer à Cécile. Ça peut l'intéresser. Surtout, le montrer à Sonia.

Le petit dernier

*

« Tiens, range-moi ça dans le placard en bas. »
Ma mère me tend une poêle toute neuve.

« Oh ! C'est beau », je m'exclame. Je passe la main sur le fond noir et satiné, tout lisse, et ouvre le placard. La peau de Sonia est plus lisse que ça, plus douce et plus vibrante. Le placard est saturé de casseroles. Je soupire. Les sortir toutes pour mettre la poêle. Ma main bouscule quelques casseroles, beaucoup ne servent plus. Tout au fond, j'en attrape une, que je reconnais tout de suite. La casserole de Cécile, émaillée à fleurs rouges. Tout à coup, elle me semble absurde. Je ne sais pas si c'est la casserole ou Cécile. Depuis l'accident, tout se délite petit à petit dans ma tête.

« Ce soir, il y a le reste de pot-au-feu, et demain soir, des pâtes à la tomate et au fromage, dit ma mère. Je n'ai pas le courage de faire autre chose. Je suis trop fatiguée. »

Cécile, en demoiselle SS, cuisine des céréales dans sa casserole émaillée à fleurs rouges et à fond hygiénique. Jean-Marc, sanglé en uniforme SS lui aussi, sort du bunker du lac Long, celui qui ne sert à rien et pour la seule vision duquel mon père fait sa bavante. Jean-Marc entre dans la cuisine, s'enquiert de l'avancement du repas, regarde dans la casserole. Le contenu ne lui plaît pas. D'une main de fer gantée de cuir, il saisit Cécile par la nuque, lui maintient la tête dans la casserole et augmente le volume du gaz. « Ça t'apprendra à me cuisiner de la merde pour sous-hommes ! » lui crie-t-il. Ensuite, il se déshabille entièrement. Ses muscles saillent, sa verge est immense, dure et tire-bouchonnée comme un piton à glace. Avec, il perfore la jupe de Cécile, et va aussi loin que possible pour faire disparaître l'engin en elle. Cécile, toujours la tête dans la casserole, hurle de plus belle, mais dans un environnement sain de céréales biologiques. Alors Jean-Marc, avec la voix de mon père, évoque dans une langue châtiée la difficulté de réformer la structure des taxes parafiscales concernant l'agriculture, et donne la véritable signification du bunker du lac Long : c'est là que la Gestapo projetait d'enfermer notre mère pendant la guerre.

Je note en dessous : Rêve transcrit à 4 heures du matin.

*

Ma mère sert les alteaf.

« En fait, d'où vient cette recette, c'est quelque chose que Bonne-maman faisait à Bon-papa ? »

Mon père se racle la gorge

« Non, je n'en ai jamais mangé chez mes parents.

— En Italie, on ne mange pas les pâtes comme ça, fait remarquer ma mère.

— Alors ce n'est pas italien ? »

Moi qui ai dit à Sonia que je mangeais de la cuisine italienne à la maison.

« Non, c'est une recette qui vient des Halles, reprend ma mère. Mamie les faisait comme ça, mais au four. Quand il n'y avait pas de coquillettes, on mangeait des spaghettis. »

Elle s'assombrit.

« En fait, on mangeait ce qu'il y avait. C'était avant-guerre. Et quand papa est mort, heureusement qu'il y a eu le père Leguet, le curé de la paroisse de Saint-Ambroise. Et pendant la guerre, aussi. Il n'y avait rien à manger. Rien. »

Elle passe sa main droite sur son front.

« Il est mort de quoi, ton père ? »

Je ne lui avais jamais posé la question. Ma mère change de visage.

« Il a été gazé par les Allemands. En 17. Il est mort des suites, juste avant la Deuxième Guerre. »

Elle repasse sa main sur son front. Chasser. Chasser la guerre, les privations.

Le petit dernier

« Mais il y a du bon dessert ! ajoute-t-elle en souriant aux anges. J'ai fait de la bonne crème à la vanille.

— Ah oui, c'est bon, ça », dit mon père.

*

Bon-papa se tient en haut du couloir Couturier. Il jette dans le vide d'énormes bobines de fil et des aiguilles grosses comme des manches à balai. Il dit que c'est son stock, que le couturier, c'est lui et pas un autre. Bonne-maman lui demande pourquoi il fait ça. Il répond qu'il espère que ça n'aidera pas ceux qui montent en ce moment, qu'ils s'en prennent dans leurs sales gueules de bons aryens. Soudain, un alpiniste débouche du couloir devant lui, mais à mobylette. C'est son fils Robert. Bon-papa le traite de fils de pute et le repousse d'un violent coup de pied, qui le fait dévisser de mille mètres en une fraction de seconde. Bonne-maman est atterrée par la violence de l'injure. Elle qui a toujours fait des alteaf à Bon-papa. Elle lui fait remarquer qu'elle n'est pas une pute et que Robert est un fils de qualité qui file un bon coton à fiscalité réduite pour la confection des chemises. Alors Bon-papa pousse Bonne-maman dans le couloir Couturier. Elle dévisse également de mille mètres. J'apparais alors. Il me demande de venir m'asseoir à côté de lui à table, devant un dictionnaire ouvert. Viens, dit-il, c'est seulement pour la photo, de toute façon je ne sais pas lire. Alors je réalise qu'il est le Maréchal Pétain. Il comprend ce que je pense, me fais signe de me taire et me chuchote de ne pas le dénoncer. Ensuite, après la photo, il me confie au salon que le gazage de mon autre grand-père, dans les tranchées, était inévitable. Qu'il avait eu la chance de vivre encore quinze ans après la guerre. Que la plupart n'avaient pas survécu à l'ypérite.

Je note en dessous : rêve transcrit à 2 h 40 du matin.

Anne-Marie, nue à califourchon sur Marco Molinari, bouge dessus. Un type filme la scène. Marco est obèse, les pores de sa peau dégoulinent de graisses polysaturées déconseillées tant par l'Union Générale des Consommateurs que par les recommandations de Sivananda et Sri Aurobindo. Ma mère, à l'aide d'une spatule en caoutchouc, recueille la graisse dans une de ses poêles à fond cancérigène et commence la cuisson d'un morceau de quelque chose. C'est une émission culinaire. Elle est interrogée par la télévision. Elle dit que c'est le Corps du Christ. Que tout ce qu'elle cuisine est le Corps du Christ, que seuls ceux qui en mangent seront sauvés. Maintenant, c'est cuit, dit-elle en montrant le contenu de la poêle à la caméra. D'une soupe écœurante de graisse émerge une

forme cuite. Marie-Thérèse, dites-nous ce que c'est !
lui demande la voix off. Du bon utérus à la russe !
répond-elle en souriant. Elle se rend alors à la salle
à manger, et le sert tout entier au père Brisemur qui,
attablé, une serviette vichy autour du cou, crie
« d'l'utérus-yeu, d'l'utérus-yeu, d'l'utérus-yeu », mar-
telant la table de ses couverts comme un petit enfant.

Je note en dessous : rêve transcrit à 7 heures du
matin.

Envoyer aussi les précédents à Cécile. Montrer
tout ça à Sonia.

*

Pendant que ma mère apporte la soupe, mon
père nous annonce qu'il va devoir partir aux
Antilles pour un audit fiscal. Très difficile de défi-
nir une bonne fiscalité. Et le milieu insulaire…
Trop d'impôt tue l'impôt. Il est vrai que la taxe
intérieure sur les produits pétroliers ne tue pas les
autres impôts, on a toujours besoin de rouler en
voiture et puis on ne s'en rend pas compte. Ma
mère sert la soupe. Combien de louches ? propose-
t-elle à mon père. Il tend son assiette sans
répondre, évoque maintenant la TVA, ses différents taux. Combien de louches, Robert ? Ah !
bien sûr, eh bien mets-en trois, non, deux, tiens,
j'en reprendrai. La TVA, c'est très intéressant.

C'est une invention française. Trois pour moi, maman. J'ai bien connu son inventeur, j'ai eu l'occasion de travailler avec lui, Maurice Lauré, c'était quelqu'un. Ma mère se sert et se rassoit. Pendant qu'il développe sur ses rapports avec Lauré, elle déplore que le père Brisemur a pris sa retraite. D'accord, il était devenu gaga, mais qui pourra le remplacer ? Certainement pas le gauchiste en question ou le mielleux – mais non, qu'est-ce qu'elle raconte, le mielleux, il est parti depuis longtemps, où a-t-elle la tête ? il y a le nouveau, bien sûr, Molino, mais elle ne le connaît pas bien.

Je tente de suivre les deux soliloques à la fois, en regardant mes parents alternativement. Ça se mélange un peu dans ma tête. Je comprends Cécile lorsqu'elle me disait qu'ils doivent être écoutés et soutenus dans une optique de *bodhisattva*, que ce n'est pas drôle tous les jours pour eux parce qu'ils deviennent vieux, c'est un vieux couple tu comprends, disait-elle. Ma tête bouge toute seule, dans le sens de l'acquiescement aux paroles de l'un et de l'autre. Ils ont besoin de me parler – ou de parler, je ne sais pas. Les nouvelles de la paroisse s'intercalent avec la technique fiscale, ça me donne mal au crâne. Ma mère me demande d'apporter la blanquette de veau. Ça tombe bien, je vais faire une pause. Je me lève. De la cuisine, j'entends mon père m'apostropher à voix plus haute : pourra-t-on baisser le taux supérieur de TVA ? Cette question est importante, tu comprends ! Cela dépend de l'Europe, maintenant ! Muni de la blanquette, j'acquiesce en souriant, la pose sur le dessous-de-plat central et me rassois à droite de ma mère. Elle me sert, sert mon père en lui demandant de bien vouloir tendre son assiette, puis se sert. C'est de la bonne blanquette, dit-elle. Tu as oublié le riz. Je me lève, vais chercher le riz et reviens m'asseoir. Je goûte la blanquette. C'est très bon. Je prévois déjà d'en reprendre, regarde le plat, ça va, il y a de quoi, elle en a fait pour cinq. Le brouhaha continue. J'ai l'habitude, bouge la tête quand il faut, les regarde alternativement aux moments idoines. Je pense soudain à la photo. Le buste de femme qui tend les bras. Vers moi. Elle me parle, maintenant. C'est Sonia. Elle dit au diable la chasteté et tes gurus de mort.

*

Sur une musique du Curé chantant, mais plus rythmée, ma mère, debout en simple culotte de coton blanc, danse devant les prêtres de la paroisse, se caresse les seins en les regardant un par un, hésite. Toinet, le Japonais ? Non, trop petit. Bluche, le miel-

337

leux ? Non, trop gominé. Fabien ? Non, trop communiste. Brisemur. Oh ! Brisemur et toutes ses fermetures Éclair aux pieds ! Il est beau comme Steeve Mac Queen. Elle le désigne du doigt. Les autres prêtres se désintègrent immédiatement. Elle s'approche de lui. Il dort. Elle le touche. C'est une simple housse, dans laquelle bouge quelque chose. La housse se crève soudain – apparaît alors, en pantalon blanc moulant, le nouveau curé de la paroisse. Il s'appelle Marlon Molinari. La musique du Curé chantant devient disco. Alors ma mère ondule, devant lui, Marlon Molinari, et elle chante, elle chante Aaaaaaah, love to love you ba-by ! Aaaaaaah, love to love you ba-by !

Je note : Rêve transcrit à 3 h 35.

L'envoyer à Anne-Marie.

12.

Je sors, range et ressors sans cesse la photo du tiroir de ma table de nuit. Je n'y vois que Sonia me tendant les bras au-dessus de l'eau. Hors champ, je nage, avec difficulté, nage pour me soustraire à la double attraction négative de quatre bras. Pendant ce temps, Sonia me parle, me dit que si cela continue, je finirai coupé en deux et noyé dans le Paradis à droite et dans le Nirvana à gauche.

Aujourd'hui, après l'amour, elle m'a dit que je n'ai pas eu l'accident par hasard. Que je voulais y rester, me punir en m'égalant à mes frère et sœurs, faire partie d'un passé qui n'est pas le mien. Qu'elle n'a pas envie de me perdre.

Ma mère ouvre la boîte aux lettres et en attrape le contenu d'une main sûre : le *Mensuel des anciens de l'ENA*, *Témoignage Catholique* et quelques documents publicitaires, qu'elle remet tout de suite dans la boîte avant de la refermer. Elle n'a pas le courage d'aller jusqu'à la poubelle, ses jambes sont lourdes aujourd'hui. Pourtant, depuis quinze jours que mon père est aux Antilles, elle devrait se sentir mieux. Moins d'insanités à supporter à table.

Quelque chose entre les deux journaux glisse et tombe à terre. Elle reconnaît la fine enveloppe bleue qui vient de là-bas, ce nom indien imprononçable. Elle pense que ça fait longtemps que Cécile n'avait pas donné de nouvelles à son frère. Heureusement, Marie-Bénédicte est là pour la remplacer un peu. Elle s'accroupit pour prendre la lettre, peine à se relever, remonte poussivement l'escalier et retourne dans la cuisine, où elle pose le courrier à côté de son bol de café. Alors qu'elle le vide d'un trait, son regard se pose sur l'enveloppe, placée à l'envers sur le *Mensuel des anciens de l'ENA*. Le timbre est joli. Une sorte de grosse roue jaune, comme une loterie de fête foraine. Elle la retourne et s'aperçoit qu'elle lui est adressée. À elle. Cécile lui écrit son charabia ? Elle se lève, prend un couteau, décachette l'enveloppe et la déplie.

Marie-Thérèse,
Je vis recluse au milieu des déchets-illusions de notre condition corporelle. Enfreignant notre règle, Mère m'a apporté plusieurs lettres envoyées par Jean-

Le petit dernier

Paul. Il est perdu. Au nom du Christ, je te demande de lui dire à quel point tu as désiré sa venue au monde, combien tu l'as désiré. C'est la seule façon qu'il revienne à la Vie dans le Dharma. Il y va de ton Salut devant le Christ-Roi

Ajarâmara

P.S. : Il ne faudra pas lui parler de Giscard d'Estaing.

Elle repose la lettre sur la table. Ses mains tremblent toutes seules. Elle enserre son bol vide pour contenir la secousse. Son Salut devant le Christ-Roi ! Son Salut ! En reprendre. Elle se lève, empoigne la cafetière laissée sur le bain-marie, et réussit à verser du café dans le bol sans en mettre à côté. Son Salut. Qu'est-ce que c'est que cette histoire ? Qu'est-ce que Cécile veut dire par là ? Comment sait-elle pour Giscard d'Estaing ?

Le café est bouillant, il faut attendre. Elle pose de nouveau les mains sur les parois du bol, l'enserre comme un gros œuf chaud. Elle doit prendre conseil. Mais auprès de qui ? Brisemur est parti, les autres prêtres, ça ne va pas. Robert, pas question. De toute façon, elle n'a parlé de Giscard à personne – pas même à Brisemur. Quelles saletés l'autre lui a-t-il écrites pour qu'elle reçoive une lettre pareille ? Elle ne s'était jamais posé la question, mais que lui écrit-il exactement ?

Le café est maintenant à bonne température. Elle le boit d'un trait. Il coule directement dans ses veines, elle le sent circuler, lui tenir chaud. Elle relit la lettre. Lui dire combien tu l'as désiré. Charabia. Et il rentre à midi et demi pour déjeuner. Cécile dit qu'il ne va pas bien. Après tout, Cécile le connaît. C'est un fait. Cécile parle du Salut. C'est important. Elle se souvient que Cécile a obtenu la bénédiction du père Brisemur pour aller dans son Ashram.

Je sonne. J'arrive. Elle range l'enveloppe dans son tablier, mais j'ai le temps de voir sa couleur, de soupçonner une manœuvre. De toute façon je sais tout. Tout remonte et descend en moi depuis toujours.

Comme d'habitude, nous mangeons à la table de la cuisine en écoutant la radio, France Culture, l'émission réservée aux intellectuels qui parlent tous en même temps. Je repars à treize heures trente. Ce matin, j'ai parlé à Sonia. Elle m'a dit être impressionnée par ma détermination, le ton de ma voix, mon projet. Elle le trouve un peu bizarre mais elle est d'accord. Soudain, ma mère se lève, éteint le poste et se rassoit.

« Je dois te dire une chose », dit-elle d'un ton lugubre.

Lorsqu'elle commence à me parler comme ça, c'est pour me dire d'aller chez le coiffeur. Elle n'aime pas que je cache mes grandes oreilles sous de grosses touffes de cheveux. Mais cette fois-ci, je sens que ce n'est pas ça, car elle passe la main sur son front, plusieurs fois, puis enlève son gilet pour découvrir ses bras nus, exhibe la cicatrice laissée par les broches posées après l'accident, une longue zébrure blanche tout le long du bras droit. Je détourne les yeux.

« Tu te souviens du président Giscard d'Estaing ? me demande-t-elle d'une voix rauque.

— Celui qui était avant Mitterrand et qui est parti dans la télévision ? Si, je me souviens ! En plus, on révise cette période en histoire actuellement.

— Ah... je ne peux pas ! je ne peux pas ! s'écrie-t-elle, assaillie par la vision d'un Giscard d'Estaing priapique la poursuivant dans la maison. Il est sorti du poste ! Il est sorti du poste ! » crie-t-elle.

Quelque chose m'échappe, moi qui pensais tout savoir. Je la regarde sans comprendre. Elle tremble. Elle a les yeux exorbités. Je ne sais pas quoi faire. Je me tais. Elle se calme progressivement, toute seule. Soudain, elle lâche, comme une tragédienne :

« Comme je t'ai désiré, Jean-Marc ! Comme j'ai voulu cette grossesse ! Si tu savais comme je t'ai désiré ! »

Elle grimace, fond en larmes. Je regarde les bras de Sonia, bras vers lesquels je nage résolument, inflexiblement. Ma mère pleure de vraies larmes, de quoi me retenir – mais jamais je ne l'ai entendue conjuguer le verbe désirer. Pour elle, je le sais depuis toujours, c'est un gros mot. Les mots qu'elle vient de prononcer, comme un texte de théâtre, ne sont pas les siens. Sauf un, le cri du cœur : Jean-Marc !

Je ressens une grande fatigue. La nage m'épuise. Bientôt les bras de Sonia. Ensuite nous sortirons de la photo.

Ma mère se mouche, se lève. Elle va mieux – le sentiment du devoir accompli, du Salut accordé. Elle ouvre le réfrigérateur.

« Tu voudras manger de la bonne morue pommes de terre, ce soir ? »

Elle n'attend pas ma réponse.

« ... de toute façon, il faut la manger ce soir, ajoute-t-elle. Après, c'est poubelle. J'en ai trop fait. Ton père n'est pas là.

— Je dois y aller », je réponds, tout en pensant que ce qu'elle vient de dire résume bien la situation.

Le petit dernier

Après la morue pommes de terre de ce soir-là, une des meilleures qu'elle a cuisinée, assis dans mon lit, bien calé sur de gros coussins, je reste tard à écrire et digérer, inlassablement rature, déchire, digère, jette à la poubelle, recopie au propre, jusqu'à parvenir, vers deux heures du matin, estomac soulagé, à laisser une feuille noircie en évidence sur ma table. Je règle mon réveil à sept heures, puis me couche et m'endors aussitôt. Je suis presque arrivé. Dans ses bras. Le matin, avant la sonnerie, je passe une tenue de sport, mets le sac à dos dans lequel j'ai déjà collecté tout le nécessaire, ouvre la fenêtre et enjambe le garde-corps. Deux étages. Du temps de Cécile, je me serais jeté par cette fenêtre si elle me l'avait demandé. C'est un peu haut, mais mes mains sont sèches et je ne ressens pas de vertige. Je me sais médiocre en escalade, encore plus en passage de surplomb, mais il n'est jamais trop tard pour essayer. J'agrippe la gouttière et amorce un rétablissement. En sortir par le haut. Sonia sera fière de moi.

13.

On me touche l'épaule, je me réveille. Sous l'effet de la chaleur, j'ai dû m'assoupir sur la tombe d'en face. Il fait très chaud.

« Tu ne viens vraiment pas avec moi ? »

La voix de ma mère à vingt ans, encore. J'ouvre les yeux sur son regard de feu. Elle est revenue dans le cimetière. Elle attaque de nouveau.

Je me redresse, affiche un sourire convenu à cette invite, essaie de dériver la conversation. Tiens, les circonstances de sa mort, ça devrait la faire fuir une bonne fois pour toutes.

« Une dernière chose. Comment t'es-tu retrouvée enterrée là ? »

Elle hausse les épaules.

« Ce jour-là, c'était déjà midi et demi, je t'ai appelé pour déjeuner, mais tu ne répondais pas. Alors je suis montée, mais tu n'étais pas dans ta chambre. La fenêtre était grande ouverte. Je n'aime pas les courants d'air, déjà une porte claquait. En me précipitant pour fermer la fenêtre, mes pieds se sont pris dans le tapis et je suis passée par-dessus le garde-corps. Cela n'a pas été douloureux. J'ai connu pire. Ensuite ils m'ont mise là-dessous, et voilà, je ressuscite normalement. Et toi ? Comment es-tu mort ? »

Je me raidis.

« Comment, je suis mort, moi ?

— Mais oui, tu es mort ! Dans ma chute, j'ai eu le temps de te voir en bas… À vrai dire, je suis presque tombée sur toi ! »

Je me racle la gorge. Elle essaie tout pour m'emmener avec elle.

« Alors ? poursuit-elle avec une curiosité gourmande, comment as-tu basculé ? Tu avais envie ? »

J'entends la voix de mon frère. « Pas à la hauteur, lapin ! Fallait pas essayer le surplomb ! »

J'attrape la balle au bond.

« Eh bien, je n'ai pas pu passer le surplomb du toit. La gouttière a cédé…

— Ah ! les gouttières, répète-elle avec fatalisme. Ça ne tient pas bien !

— … tu constateras que je ne suis pas Jean-Marc, j'ajoute sur un ton pincé.

— Eh oui ! susurre-t-elle avec un petit sourire entendu. Mais donc, reprend-elle, tu es sorti du tombeau, comme moi ! Tu n'étais pas loin ! Tu m'as menti tout à l'heure. Tu n'as même pas eu le temps de faire une psychanalyse puisque tu es mort tout de suite... »

Quelle énergie. Là encore, je coupe court.

« Écoute, une bonne fois pour toutes, je n'ai rien fait d'autre que d'en sortir par le haut et maintenant je suis là. Donc, tu n'as pas eu le temps de lire le texte que j'ai laissé sur la table ?

— Bah ! » répond-elle en haussant les épaules. Maintenant, c'est différent.

Je reste silencieux. À quoi bon lui apprendre que mon père est parti aux Antilles avec Solange Martinet et ce que j'en ai déduit sur la nécessité du maquillage pour les femmes ? À voir sa nouvelle allure, elle doit d'ailleurs s'en douter. Je regarde le crâne de méditation de Cécile que durant mon assoupissement je retenais par l'index droit glissé dans le trou occipital. À la longue, ça pèse. Il faut que je m'en débarrasse.

« Bon, dit-elle en me montrant ses ongles, auparavant sales et maintenant vernis de nacre rose. Qu'est-ce que tu en penses ? Je viens de le mettre.

— Tu y vas toute seule, je te l'ai déjà dit. Comme une grande fille.

— Alors au revoir ! reprend-elle toute guillerette après qu'un petit voile de vexation a rapidement traversé son visage.

— Voilà, au revoir. »

Le petit dernier

Malgré la chaleur, elle file une nouvelle fois vers le portail du cimetière, coupe à travers champs. Sa silhouette s'estompe, là-bas – seules les détestables chaussures de sport sursautent comme des queues de lapin et puis vraiment plus rien.

Je reviens au crâne. Je réalise que je n'ai rien apporté pour creuser.

Mon regard est attiré par le tombeau d'où elle sort. Ce trou me tend les bras. La sagesse serait de jeter le crâne dedans – une pierre deux coups, donnant-donnant : une résurrection, un crâne. Mais le refermer tout seul, le poids de la dalle, la position du corps, arc-bouté en avant – je vois d'ici le tour de rein, les gardiens du cimetière, les pompiers, puis la police, la garde-à-vue, l'accusation de viol de sépulture, de trafic d'ossements, l'impossible preuve de l'acquisition du crâne. Saleté de cadeau de Cécile. En même temps, rester debout dans le cimetière avec cette relique comme une boule de bowling à l'index est une posture tout aussi compromettante.

Je regarde alentour. Personne. Rien que des morts. Je me décide.

Le cœur battant, je m'approche du trou et lance le crâne dedans – un bruit sec de grosse noix brisée me répond. Vite, refermer, maintenant. Je m'arc-boute sur la dalle et pousse. Ça bouge un peu, mais c'est lourd. Très lourd. J'en mouille ma chemise. Si la police arrive, je dirai que c'est le crâne de ma maman, qu'on avait le même nez et que je voulais lui dire au revoir. Je pousse encore, les yeux mouillés de grosses gouttes de sueur. Comme pour elle pendant la guerre et moi dans le métro, ils vérifieront mes papiers, l'inscription sur la tombe et ils me laisseront en paix. On pourrait croire des larmes, je n'en peux plus, encore un effort, c'est presque fini. Voilà, c'est refermé.

Je me redresse. La dalle est parfaitement d'équerre. On ne peut rien soupçonner. Ni qu'elle en soit sortie, ni que j'y ai jeté le crâne. Je m'essuie les yeux, constate que je ne ressens aucune douleur aux lombaires et soupire de soulagement.

Le sentiment du devoir accompli, je reste un moment à regarder la stèle. Le nom de ma mère y figure, c'est un fait. De loin, on pourrait croire que je me recueille sur sa tombe.

Après tout, c'est peut-être vrai.

CET OUVRAGE A ÉTÉ COMPOSÉ
PAR NORD COMPO
ET ACHEVÉ D'IMPRIMER
SUR ROTO-PAGE
PAR L'IMPRIMERIE FLOCH À MAYENNE
POUR LE COMPTE DES ÉDITIONS J.-C. LATTÈS
17 RUE JACOB – 75006 PARIS
EN DÉCEMBRE 2012

JC Lattès s'engage pour
l'environnement en réduisant
l'empreinte carbone de ses livres.
Celle de cet exemplaire est de :
1,100 kg éq. CO$_2$
PAPIER À BASE DE   Rendez-vous sur
FIBRES CERTIFIÉES   www.jclattes-durable.fr

N° d'édition : 01 – N° d'impression : 83718
Dépôt légal : janvier 2013
Imprimé en France